D1086556

Faites plus avec moins

Faites plus *avec* moins !

ÉDITIONS DU TRÉCARRÉ

Conception graphique : Cyclone design communication

Révision linguistique : Diane Martin

L'équipe d'Option consommateurs

Coordination : Maryse Guénette

Recherche : Rachida Maghrane et Jannick Desforges

Rédaction : François Perreault et Pauline Boivin

© 2000 Éditions du club Québec Loisirs inc.
(avec l'autorisation des Éditions du Trécarré)

Tous droits réservés. Sauf pour de courtes citations dans une critique de journal ou de magazine, il est interdit de reproduire ou d'utiliser cet ouvrage, sous quelque forme que ce soit, par des moyens mécaniques, électroniques ou autres, connus présentement ou qui seraient inventés, y compris la xérographie, la photocopie ou l'enregistrement, de même que les systèmes informatiques.

ISBN 2-89430- 466-8

(publié précédemment sous 2-89249- 931-3)

Dépôt légal 2000

Bibliothèque nationale du Québec

Imprimé au Canada

Sommaire

REMERCIEMENTS

Pour la réalisation de ce guide, l'organisme Option consommateurs a puisé à même les connaissances de son personnel spécialisé notamment en conseils budgétaires, en consommation et en droit. Il a également été inspiré par différents ouvrages ainsi que par des articles publiés au fil des ans dans les magazines *Consommation, Affaires Plus, Le Bel Âge, Touring* et *Coup de Pouce,* ainsi que dans les quotidiens *La Presse* et *Le Soleil.* Merci à tous !

Introduction

En matière de consommation comme ailleurs, ce sont souvent de petits riens qui font une grosse différence. Vous avez parfois du mal à boucler votre budget ? Il vous arrive de vous demander si vous n'êtes pas en train de vous faire avoir ? Vous trouvez que la vie vous coûte cher ? Ce livre est pour vous. Par le biais de notre petit test maison, vous découvrirez d'abord si vous êtes ou non un consommateur averti. Puis vous comprendrez l'importance de faire votre budget et de le respecter. Que vous lisiez ce guide du début à la fin ou que vous le consultiez au besoin, vous y trouverez ensuite de nombreux trucs que vous permettront de sauver des sous dans chacun des secteurs de votre vie. Adoptez ceux qui vous semblent les moins contraignants. Ainsi, vous ferez de petits compromis… et de grosses économies. Et, qui sait, avec l'argent que vous épargnerez, peut-être pourrez-vous vous permettre de nouveaux plaisirs… Qui a dit qu'économie rimait avec ennui ? Bonne lecture à tous !

L'équipe de rédaction

Partie I

Test :

Êtes-vous un consommateur averti ?

Nous avons tous acquis des connaissances qui, croyons-nous, nous permettent d'être vigilants lorsque nous faisons affaire avec des commerçants. Pour savoir si vous connaissez bien vos droits en matière de consommation, vérifiez les 19 affirmations qui suivent. Certaines sont vraies, d'autres sont fausses. Saurez-vous trouver lesquelles ?

Les questions

1. Pour savoir quelle somme je dois consacrer chaque mois à l'épicerie, je multiplie ma facture hebdomadaire par 4.

2. J'ai toujours dix jours pour annuler un contrat.

3. Lorsque je ne trouve pas, en magasin, un produit annoncé à rabais dans une circulaire, j'ai le droit de demander un bon d'achat différé.

4. Quand j'achète un bien chez un commerçant, il y a toujours une garantie.

5. Pour obtenir une carte de crédit, je dois obligatoirement faire une demande par écrit.

6. Si je me fais voler ma carte de crédit et que des transactions sont frauduleusement effectuées avec, ma responsabilité est limitée à 50 $.

7. Une compagnie émettrice de carte de crédits ne peut augmenter ma limite de crédit sans que j'en aie fait la demande.

8. J'achète un grille-pain qui est garanti par le fabricant pour une durée d'un an. Si je ne retourne pas le formulaire de garantie qui se trouve dans la boîte, je ne pourrai pas bénéficier de cette garantie.

9. Pour qu'il y ait contrat, il faut absolument qu'il y ait une entente écrite.

10. Une agence de voyages doit obligatoirement détenir un permis de l'Office de la protection du consommateur (OPC).

11. Un entrepreneur de construction doit absolument détenir un permis de la Régie du bâtiment.

12. Demander un taux d'intérêt de plus de 60 % est criminel.

13. Un garagiste effectue une réparation sur mon véhicule. Cela me coûte 200 $. Les pièces et la main-d'œuvre sont alors garanties pour trois mois, ou 5000 kilomètres.

14. Une agence de recouvrement peut m'appeler en tout temps et sans préavis.

15. J'achète un bien d'un commerçant itinérant qui n'a pas de permis. Je ne peux annuler mon contrat.

16. J'achète une montre et le vendeur me dit qu'elle est à l'épreuve de l'eau. Après quelques semaines, je me rends compte que ce n'est pas le cas. Malheureusement, je n'ai aucun recours.

17. J'ai versé un acompte de 100 $ pour l'achat d'un divan et je ne veux plus de ce meuble. Je peux donc récupérer mon acompte.

18. Je me suis inscrit à un centre de conditionnement physique où je devais notamment suivre un cours d'aérobie. J'ai annulé mon contrat avant le début des cours. Toutefois, je dois payer la pénalité prévue au contrat.

19. Un commerçant doit apposer une étiquette sur chaque véhicule d'occasion qu'il offre en vente.

Les résultats se trouvent à la page 17

Les réponses

1. Faux. Il faut plutôt la multiplier par 4,3, car il y a 4,3 semaines dans un mois.

2. Faux. Cela est vrai seulement dans le cas d'un produit acheté d'un vendeur itinérant.

3. Vrai. Si le commerçant refuse de m'en donner un, j'ai aussi le droit de demander un produit de même nature, de valeur égale ou supérieure.

4. Vrai. La Loi sur la protection du consommateur offre une garantie de bon fonctionnement. En vertu de cette garantie, un bien doit fonctionner pendant une durée raisonnable eu égard au prix que le consommateur a payé et à l'usage qu'il en a fait. Ainsi, si vous achetez un téléviseur neuf pour 500 $, que vous vous en servez de façon normale et que, deux ans plus tard, il cesse de fonctionner, vous bénéficiez d'une garantie légale. Il n'est pas normal qu'un téléviseur neuf cesse de fonctionner après deux ans. Notez que cette garantie doit être respectée autant par le vendeur que par le fabricant.

5. Vrai. Cela est exigé par la Loi sur la protection du consommateur. On veut ainsi éviter que les commerçants envoient par la poste des cartes de crédit non sollicitées.

6. Vrai. Cela est prévu dans la Loi sur la protection du consommateur. On veut ainsi limiter la responsabilité du consommateur en cas de transactions non autorisées.

7. Vrai. Cela est prévu dans la Loi sur la protection du consommateur. On veut ainsi éviter que les consommateurs s'endettent outre mesure.

8. Faux. L'envoi du formulaire de garantie n'est absolument pas nécessaire en vertu de la Loi sur la protection du consommateur.

9. Faux. Selon le Code civil du Québec, un contrat se forme par le consentement des parties. Une entente verbale est un contrat.

10. Vrai. En vertu de la Loi sur les agents de voyages.

11. Vrai. En vertu de la Loi sur la Régie du bâtiment.

12. Vrai. Quiconque demande un tel taux est passible d'accusations en vertu du Code criminel.

13. Vrai. Parce que la réparation était de plus de 50 $.

14. Faux. Selon la Loi sur le recouvrement de certaines créances, l'agence doit vous appeler entre 8 h et 20 h et avoir préalablement communiqué avec vous par écrit.

15. Faux. En vertu de la Loi sur la protection du consommateur, vous avez un an pour le faire.

16. Faux. Vous pouvez être dédommagé. En vous disant que votre montre était à l'épreuve de l'eau, on a fait de la fausse représentation, et cela est interdit par la Loi sur la protection du consommateur.

17. Faux. Un acompte constitue une promesse d'achat, il n'est donc pas remboursable. Pour cette raison, il est important de toujours donner le plus petit acompte possible. Le commerçant pourrait par ailleurs décider de vous rembourser, mais il n'en a pas l'obligation.

18. Faux. Si vous annulez un tel contrat avant le début des cours, vous n'avez aucuns frais à payer, et ce, en vertu de la Loi sur la protection du consommateur.

19. Vrai. En vertu de la Loi sur la protection du consommateur, un commerçant doit apposer une étiquette sur chaque véhicule d'occasion qu'il offre en vente. Il doit faire de même avec les véhicules d'occasion qu'il offre en location.

Les résultats

– Si vous avez moins de cinq bonnes réponses, vous êtes une cible de choix pour les commerçants qui ont des pratiques malhonnêtes.

– Si vous avez entre cinq et dix bonnes réponses, vous risquez de vous faire avoir de temps en temps.

– Si vous avez entre dix et quinze bonnes réponses, vous êtes vraiment sur la bonne voie.

– Si vous avez entre quinze et dix-neuf bonnes réponses, bravo ! Vous êtes vraiment un consommateur averti.

Quel que soit votre résultat, nous vous conseillons de vous informer en écoutant des émissions de télévision et en lisant des magazines ou des articles spécialisés en consommation. Au besoin, n'hésitez pas à communiquer avec une association de consommateurs. Cela est particulièrement utile si vous avez des doutes quant à un renseignement fourni par un commerçant ou si vous avez l'impression de vous être fait avoir et que vous voulez connaître vos droits et vos recours.

Partie II

Analyser ses comportements… et les changer

Tout le monde le sait : il y a des personnes à revenu modeste qui parviennent à joindre les deux bouts et d'autres, dont les revenus sont beaucoup plus élevés, qui finissent par faire faillite. Pourquoi ? Parce que l'argent n'est pas la seule donnée à prendre en considération en matière de finances personnelles. Là comme ailleurs, en effet, les comportements ont une grande importance.

Il y a quelques années, M. Gérard Duhaime, professeur à l'Université Laval, a réalisé une étude sur le surendettement. Pour ce faire, il a écouté le témoignage de plusieurs personnes ayant du mal à arriver. À travers leur histoire, il voulait découvrir ce qui les avait menées dans cette situation et ce qui pourrait les aider à s'en sortir.

Première constatation : le surendettement touche les gens de tous les milieux. Plus on a un revenu élevé, plus on emprunte. Et plus on risque de connaître un jour une situation précaire.

Deuxième constatation : à moins d'un coup du sort (maladie, perte d'emploi, divorce, etc.), le surendettement n'arrive pas d'un coup mais fait son apparition très graduellement.

Troisième constatation : le surendettement est cyclique. Les personnes interviewées par M. Duhaime n'en étaient pas à leurs premiers problèmes financiers. Les fois précédentes, elles avaient trouvé des solutions. Mais dès qu'elles s'étaient senties à l'abri, elles s'étaient remises à dépenser outre mesure et s'étaient de nouveau endettées.

Selon M. Duhaime, on peut, en changeant ses comportements, améliorer sa situation financière. Sortir du cycle du surendettement et améliorer sa situation pour de bon. Comment ? Selon le spécialiste, la première chose à faire est d'admettre sa part de responsabilité (même si les influences extérieures sont nombreuses, c'est la personne elle-même qui décide d'acheter tel bien ou de contracter tel emprunt). Ensuite, il faut comprendre pourquoi on agit ainsi.

Dans le cadre de son étude, M. Duhaime a décelé quatre types de personnes surendettées. Les personnes vulnérables (elles viennent d'un milieu socioéconomique difficile et sont mal informées ; elles se font donc avoir facilement par les arnaques de tout acabit), les parvenus (ils dépensent plus que leurs moyens à cause, disent-ils, des obligations liées à leur statut social), les compulsifs (étant incapables de se priver de quoi que ce soit, ils consomment de manière excessive) et les malchanceuses (ce sont surtout des femmes qu'un événement malheureux a précipitées dans la misère). À moins que l'on ne fasse partie de la dernière catégorie, changer ses attitudes est essentiel pour améliorer sa situation pour de bon.

Mais cela ne suffit pas. Il faut aussi stopper le processus. Changer ses habitudes de consommation durant une certaine période est parfois le seul moyen d'y parvenir, ce qui n'est pas facile. On peut, par exemple, devoir se défaire d'une deuxième voiture, cesser de manger au restaurant pendant quelques mois, réparer son vieux manteau d'hiver plutôt que d'en acheter un autre. Des efforts que tous ne sont pas prêts à fournir. Ceux qui y parviendront apprendront à trouver des gratifications ailleurs que dans la consommation. Et connaîtront le plaisir, simple mais combien précieux, de boucler leur budget.

Voici huit comportements à adopter :

1. Ne jamais aller magasiner lorsque l'on est déprimé.

2. Avant d'effectuer un achat, se demander si on a vraiment besoin de l'article en question.

3. Avant d'aller à l'épicerie, toujours dresser une liste. Sur place, la respecter.

4. Faire son budget chaque semaine.

5. Payer chaque mois la totalité du solde de sa carte de crédit.

6. Payer ses dettes le plus rapidement possible.

7. Prévoir un coussin de sécurité pour parer aux imprévus.

8. Économiser, même si la somme qu'on peut mettre de côté est minime.

Partie III

Faire son budget : un travail fastidieux mais important

Vous avez des dettes à rembourser ? Vous voulez mettre de l'argent de côté parce que vous prévoyez acheter une maison, avoir un enfant ou faire un voyage ? Vous êtes fatigué de voir l'argent vous filer entre les doigts et désirez simplement mieux contrôler vos finances personnelles ? Toutes ces raisons sont bonnes pour faire un budget.

Cette opération peut être nécessaire, quel que soit votre revenu. Plusieurs personnes ont l'impression que, si leur salaire était plus élevé, leurs problèmes financiers seraient réglés. Cela est loin d'être certain. Au contraire, il est prouvé que, lorsque les revenus augmentent, les dépenses augmentent aussi.

Faire un budget permet d'avoir une bonne planification financière (gestion des revenus, des dépenses, des dettes et de l'actif, selon un plan qui permet d'atteindre des objectifs précis). Et lorsqu'il y a une bonne planification financière, on réussit à maintenir un équilibre entre sa qualité de vie et son indépendance financière.

Première étape de la planification financière : le bilan financier personnel. Pour le faire, il faut inscrire son actif (liste de ses avoirs) et son passif (liste de ses dettes). Attention ! Certains biens, comme les meubles et l'automobile, se déprécient rapidement. Pour connaître la valeur la plus juste possible de ce que l'on possède, on peut consulter notamment les petites annonces des quotidiens.

Le bilan financier personnel est le reflet de votre situation financière à un moment donné. En faisant votre bilan financier personnel aujourd'hui, puis en le refaisant dans six mois ou dans un an, vous pourrez mesurer le chemin parcouru.

C'est la différence entre le total de votre actif et le total de votre passif qui déterminera ce que, en termes monétaires, vous valez. Idéalement, nous devrions augmenter notre valeur nette de 15 % par année ; ainsi, notre valeur doublerait tous les cinq ans. Cela est possible quand on travaille et que l'on commence à avoir un peu d'épargne. Mais c'est presque impossible quand on est à la retraite et qu'on a accumulé une somme d'argent importante.

La deuxième étape consiste à faire un budget annuel. Pour cela, il faut établir ses revenus et ses dépenses. Le budget est le miroir de nos habitudes. Quand on voit bien ses habitudes, on peut les modifier. Par exemple, on augmentera certains dépenses que l'on juge importantes, alors qu'on en diminuera d'autres que l'on trouve inutiles.

Souvent, on a tendance à mettre notre budget de côté à la première difficulté. Évidemment, il ne le faut pas. Pour réussir un budget, il y a deux conditions essentielles à respecter : faire des prévisions budgétaires de base qui reflètent la réalité et non seulement nos désirs et, surtout, avoir beaucoup de discipline.

Les prévisions budgétaires doivent être faites pour l'année qui vient, mais toutes les sommes déterminées doivent être reportées à la semaine ou au mois. Concrètement, on détermine quelles sont nos dépenses annuelles, puis on divise ce nombre par 12 pour connaître nos dépenses mensuelles ou par 52 pour connaître nos dépenses hebdomadaires. Notez qu'il y a 4,3 semaines dans un mois. Ainsi, si vous voulez déterminer vos dépenses mensuelles en prenant comme base vos dépenses hebdomadaires, vous devrez multiplier ces dernières par 4,3. Sinon, vous aurez du mal à boucler votre budget.

On doit d'abord faire son budget en se basant sur ses revenus réguliers (les sommes d'argent qui arrivent régulièrement tous les mois). Le plus courant est le revenu de salaire, mais ça peut aussi être des prestations de l'assistance emploi (anciennement appelées sécurité du revenu ou aide sociale), de la CSST, d'une assurance emploi et des revenus d'intérêt (s'ils sont réguliers). Attention! Il faut calculer en employant comme base ce que l'on a dans ses poches, par exemple son salaire net. Notez que les travailleurs autonomes, dont les revenus sont irréguliers, doivent faire une moyenne de ce qu'ils gagnent afin de déterminer leur revenu mensuel.

Quand on vit à deux, il est préférable de prendre ensemble les décisions reliées au budget. Si vous désirez fonctionner de manière autonome pour vos dépenses personnelles, il faut tout de même faire un budget commun pour les dépenses reliées à la famille. Décidez ensemble de la proportion que chacun y consacrera (moitié-moitié ou en fonction du revenu). Et, afin de remplir les obligations familiales et d'assurer les paiements, déposez la somme prévue dans un compte conjoint. Si vous vous occupez du budget familial et que votre conjoint manque de discipline, ne vous découragez pas. Une solution consiste à prévoir les dépenses du conjoint dans votre budget et à y inscrire la somme qu'il a dépensée sans autres détails.

Il y a différents postes de dépenses à considérer: l'habitation, l'alimentation, le tabac et l'alcool, l'habillement, les soins de santé, le transport, les loisirs et l'éducation, les remboursements de dettes, etc. Certains postes se recoupent, par exemple l'habitation et le transport. Si vous vivez éloigné de votre lieu de travail, vos dépenses de transport peuvent être élevées. Il serait préférable d'en tenir compte.

Quel que soit le poste de dépenses que vous regardez, il faut être réaliste et y inscrire ce que vous dépensez réellement. Par exemple, si vous fumez et que vous n'arrivez pas à équilibrer votre budget, ne vous dites pas que vous allez arrêter de fumer; vous ne le ferez pas. Calculez plutôt combien vous dépensez en cigarettes et inscrivez-le dans votre budget. Lorsque vous réussirez à arrêter de fumer, vous saurez combien cela vous permet d'économiser.

Même chose pour l'habillement. Tout le monde a besoin de vêtements et il ne sert à rien de se dire qu'on n'en achètera pas. Avant de succomber à la fièvre du magasinage, on peut cependant prendre la peine d'examiner ce qui se trouve dans sa garde-robe. Essayez toujours d'acheter des vêtements pratiques que vous êtes certain de porter. Si possible, choisissez-les de façon qu'ils s'agencent bien avec ce que vous avez déjà.

Côté alimentation, séparez les dépenses d'épicerie de celles qui sont faites au dépanneur ou au restaurant. Si vous devez diminuer la somme utilisée pour certaines dépenses, vous pourrez plus facilement déterminer lesquelles sont superflues.

Dans certains postes de dépenses, comme les soins de santé, il est difficile de prévoir de combien d'argent on aura besoin. Il vaut tout de même mieux mettre de côté une somme minimale, histoire de ne pas être pris au dépourvu.

Une fois votre budget effectué, vous pouvez vous retrouver avec un budget équilibré (les dépenses sont égales aux revenus), un budget excédentaire (les revenus sont plus élevés que les dépenses) ou un budget déficitaire (les dépenses sont plus élevées que les revenus). Dans ce dernier cas, il vous faut intervenir, soit en augmentant vos revenus, soit en diminuant vos dépenses. Si, en dernier recours, vous devez emprunter, faites-le pour une très courte période et prévoyez tout de suite une manière de rembourser.

Votre budget est équilibré ou excédentaire ? Vous pouvez donc épargner. Économiser 10 % de ses revenus nets est généralement ce que l'on suggère en matière d'épargne. Si votre salaire net est de 450 $ par semaine, vous devriez donc mettre 45 $ de côté. Si vous n'en êtes pas capable, essayez tout de même de mettre de côté une somme d'argent, si petite soit-elle. Lorsque vous aurez ainsi accumulé un peu d'argent, vous pourrez l'investir dans un REÉR, ce qui vous permettra de bénéficier d'économies d'impôt et d'épargner davantage.

L'idéal est de se constituer un coussin de sécurité équivalant à trois mois de salaire net afin de pouvoir parer aux imprévus. Vous devrez alors placer cet argent afin qu'il vous rapporte des intérêts et qu'il soit facilement accessible en cas de besoin.

Rappelez-vous: un budget est un outil de travail, il n'est pas coulé dans le béton. Il faut donc le refaire souvent. Cela permet de garder l'œil ouvert et, lentement mais sûrement, d'améliorer sa situation financière. Ce qui, à long terme, procure beaucoup de bénéfices.

Vous avez du mal à faire votre budget ? Vous pouvez alors suivre un cours sur le budget. Les associations de consommateurs en offrent. Pour de l'information, adressez-vous à l'ACEF de votre quartier ou de votre région.

Partie IV

Grille budgétaire

Vous avez décidé de faire votre budget? Voici un outil qui peut vous aider. Faites-en des copies et utilisez-les toutes les quatre semaines (vous avez donc besoin de 13 copies pour faire votre budget annuel). Notez qu'il est plus réaliste de faire son budget toutes les quatre semaines (comme c'est indiqué ici) que tous les mois, car il y a un peu plus que quatre semaines dans un mois.

Commencez par inscrire vos revenus dans les cases destinées à cet effet. Si vous êtes payé chaque semaine, inscrivez vos revenus dans chacune des cases. Si vous êtes payé aux deux semaines, utilisez les colonnes Semaine 1 et Semaine 3. Une fois ces sommes inscrites, faites le total.

Inscrivez ensuite vos dépenses dans les cases appropriées. Il s'agit de dépenses hebdomadaires? Il faut évidemment les inscrire dans chacune des colonnes. Les dépenses mensuelles, pour leur part, doivent être inscrites dans une seule colonne. Comme vous ne pourrez pas tout payer la même semaine, il vous faut répartir vos dépenses. Par exemple, inscrivez le paiement de votre loyer dans la colonne Semaine 1, et les dépenses liées au chauffage, au téléphone et au câble dans la colonne Semaine 3. Par ailleurs, certaines dépenses sont des dépenses annuelles (immatriculation, assurances, etc.). Afin de ne pas être pris au dépourvu lorsque la somme sera exigible, il faut mettre des sous de côté. Décidez à quelle fréquence vous voulez le faire et calculez de quelle somme sera chacun de vos versements. Puis inscrivez la somme de chaque versement dans la colonne appropriée. Une fois toutes vos dépenses inscrites, faites le total.

Lorsque toute la grille est remplie, soustrayez vos dépenses de vos revenus. Si votre solde est positif (vous avez plus de revenus que de dépenses), pensez à épargner. Si vous arrivez à zéro ou si votre solde est négatif, peut-être devrez-vous songer à réduire vos dépenses. Si cela vous semble difficile, vous pouvez obtenir de l'aide en prenant contact avec une association de consommateurs (pour plus d'informations, consultez la section Ressources).

Évidemment, cette grille budgétaire peut être modifiée selon vos besoins. N'hésitez pas à le faire.

Grille budgétaire

	Semaine 1	Semaine 2	Semaine 3	Semaine 4	Total
REVENUS					
Salaire net					
Prestations / rentes					
Allocations pour enfants					
Pensions alimentaires					
Autres					
TOTAL					

DÉPENSES FIXES

Habitation

	Semaine 1	Semaine 2	Semaine 3	Semaine 4	Total
Loyer ou hypothèque					
Électricité / chauffage					
Téléphone/Internet					
Câble					
Taxes municipales et scolaires					
Assurance-habitation					
Frais de copropriété					

Transport

	Semaine 1	Semaine 2	Semaine 3	Semaine 4	Total
Autobus et métro					
Paiement d'auto					

Essence					
Assurance automobile					
Immatriculation					
Permis de conduire					
Taxis					
Stationnements					
Entretien et réparations					

Autres

Remboursement de dettes					
Garderie					
Médicaments					
Pension alimentaire					
Frais bancaires					
Assurance-vie					
Divers					
TOTAL PARTIEL					

DÉPENSES VARIABLES

Alimentation

Épicerie					
Restaurants					
Repas au travail ou à l'école					
Dépanneurs					

Loisirs					
Livres, magazines, journaux, etc.					
Cassettes, CD, vidéos, etc.					
Sports					
Sorties					
Cours et matériel scolaire					
Soins de santé et de beauté					
Pharmacie					
Coiffeur					
Dentiste et optométriste					
Thérapie					
Autres					
Tabac					
Alcool					
Cadeaux					
Loterie					
Vacances					
Soin des animaux					
Divers					
TOTAL PARTIEL					
TOTAL (dépenses fixes + dépenses variables)					
SOLDE (revenus – dépenses)					

Partie V

Des astuces à la carte

Alimentation

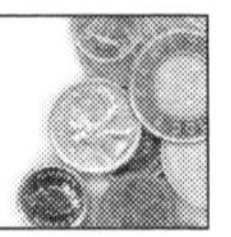

Planifier ses achats et ses menus

Avant de partir faire des courses, vérifiez le contenu du réfrigérateur, du garde-manger et du congélateur, et notez ce qui manque. À l'aide de ces informations, il vous sera beaucoup plus facile de dresser une liste des produits dont vous avez réellement besoin. Ensuite, planifiez vos repas de la semaine (pour ce faire, utiliser les circulaires des différentes chaînes d'alimentation peut être une bonne idée). En établissant un menu pour chaque jour, vous achèterez ce dont vous avez vraiment besoin et vous éviterez le gaspillage. Cette méthode vous empêchera de perdre du temps à vous demander « Qu'est-ce qu'on mange ? ».

Enfin, vous pouvez faire des choix qui, tout en étant axés sur l'économie, vous donneront des repas de bonne qualité. Par exemple, remplacez chaque semaine la viande d'un ou de deux soupers par des légumineuses ou des pâtes. En une année, vous pourriez ainsi économiser jusqu'à 500 $! Dans le même ordre d'idées, pourquoi ne pas employer dans les recettes des ingrédients moins coûteux, comme du poivron vert au lieu du rouge quand il est en solde ?

Comparer les prix

Passer des heures à courir la ville pour faire les courses ne sert à rien. Il y a des cycles dans les rabais ; ce qui est en solde dans un supermarché cette semaine le sera dans un autre la semaine prochaine. En achetant une quantité suffisante des produits non périssables que vous utilisez régulièrement, vous pourrez profiter des aubaines en allant toujours dans le même supermarché.

En magasin, comparez les prix des différents formats et marques. Il peut être avantageux d'acheter les marques maison ; elles proviennent souvent des manufacturiers de grandes marques et sont moins chères que ces dernières.

Puisque les produits de marque maison doivent être fabriqués en grande quantité pour être offerts à prix moins élevés que ceux des autres marques, ce sont nécessairement des produits populaires comme les céréales, le pain, les fromages, les biscuits, les viandes, les produits d'hygiène, etc. Les économies qu'ils permettent de réaliser sont appréciables. Par exemple, elles peuvent approcher 4 $ pour certaines viandes ou plats de pâtes surgelés.

Quant aux grands formats, ils sont souvent plus économiques, mais seulement si votre consommation le justifie. Quand une partie de la grosse boîte de jus va à l'évier, l'économie y va avec elle.

Éviter d'acheter la première semaine du mois

Une étude menée par quatre groupes communautaires à la fin de 1999 et au début de 2000 a révélé que, pour la troisième année consécutive, les principales chaînes de supermarchés du Québec (IGA, Loblaws, Métro, Provigo et Super C) offraient de moins bons rabais sur les aliments de base durant la première semaine du mois.

Les chercheurs ont comparé les prix de 94 produits (produits laitiers, riz, beurre, poulet, pommes de terre, brocoli, bœuf haché, etc.) pendant quatre mois. Conclusion : les rabais proposés dans les circulaires à la fin du mois permettent une économie de 31,83 $, tandis que ceux offerts au début du mois procurent une économie de 23,88 $. Un tel écart représente au bout d'une année un manque à gagner de 95 $. Qu'on se le dise : pour trouver de bons rabais, il vaut mieux magasiner à la fin du mois qu'au début.

Des aliments peu chers

De très bons repas peuvent être préparés avec des aliments simples et peu chers. Le tofu, par exemple, est une excellente source de protéines et coûte trois fois rien. Avec un bon livre de recettes, vous découvrirez les mille et une façons d'apprêter cet aliment. Apprenez aussi à cuisiner les légumineuses (lentilles, haricots secs, etc.). Ces aliments très économiques sont excellents pour la santé et faciles à cuisiner.

Vous aimez beaucoup la viande ? Certaines pièces de bœuf, tels les rôtis de côtes croisées et les rôtis de palette, sont très économiques, surtout lorsqu'elles sont en solde. Parce qu'elles demandent une cuisson relativement longue, elles sont excellentes pour les pot-au-feu et autres plats mijotés. Quelques semaines avant Noël, il est aussi possible de se procurer des dindes congelées « utilités ». Elles sont moins chères que les autres parce qu'elles sont légèrement abîmées ; il peut, par exemple, leur manquer une aile.

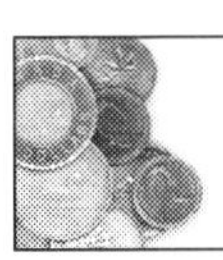

Alimentation

Acheter des produits en vrac est également une bonne façon d'épargner des sous. Vous n'avez pas à payer pour l'emballage et vous prenez la quantité exacte dont vous avez besoin. Attention cependant : ces produits ne sont un bon choix que s'ils ont été conservés dans des contenants hermétiques, à l'abri des insectes et de l'humidité. Par ailleurs, certains produits sont en meilleur état lorsqu'ils sont préemballés ; c'est le cas notamment des pâtes alimentaires.

Pour quelques catégories de produits, les économies que permet de réaliser l'achat en vrac sont impressionnantes. C'est notamment le cas des aromates. Ainsi, la différence de prix pour des feuilles de laurier et certaines fines herbes peut atteindre et même dépasser une quinzaine de dollars pour des formats aussi petits que 100 grammes. D'autres produits (amandes tranchées, parmesan râpé, etc.) seront vendus plusieurs dollars de moins en vrac qu'en paquet.

Toutefois, les économies dont on parle ici sont réalisées dans les grandes chaînes d'alimentation plutôt que dans les boutiques spécialisées. En effet, des produits comme le sel de céleri, les flocons d'avoine, la farine de sarrasin et le bouillon de poulet en poudre sont vendus à des prix plus élevés en vrac dans des boutiques spécialisées qu'en emballage au supermarché. Et ce dernier nous propose parfois des aliments (miel, mélasse, tartinade au chocolat et aux noisettes) à un prix supérieur en vrac qu'en contenant. Conclusion : dans tous les cas, il faut vérifier et comparer.

Les groupes d'achat, pourquoi pas ?

Au Québec, il existe une trentaine de groupes d'achat ; un des plus connus est celui du Plateau Mont-Royal, qui compte 100 membres. De quoi s'agit-il ? Ce sont des groupes de personnes qui, ensemble, prennent des ententes avec des cultivateurs et des grossistes afin d'avoir des aliments frais à un coût moindre que dans les épiceries. Les économies effectuées par les membres seraient de 30 % à 50 %. L'adhésion à un groupe d'achat coûte 10 $ par année. Une fois par mois, les membres se rencontrent afin de décider ce qu'ils veulent commander. Pour informations, communiquez avec le Collectif des groupes d'achat du Québec au (514) 527-1616.

Cuisiner en groupe

Connaissez-vous les cuisines collectives ? Très populaires au Québec, elles regroupent des personnes qui cuisinent ensemble. Les membres se réunissent une fois par mois. On y apporte les circulaires des supermarchés et on repère les aubaines de la semaine. Puis on choisit quels plats on cuisinera et on établit une liste des achats. Un des membres se charge alors des courses, pendant que les autres préparent la cuisine. Enfin, les participants apprêtent les plats prévus, qu'ils partagent ensuite. Cette activité permet à plusieurs personnes de sortir de l'isolement. Et d'avoir des repas variés à bas prix. Pour informations, entrez en contact avec le Regroupement des cuisines collectives au (514) 529-3448 ou adressez-vous au centre communautaire de votre ville ou de votre quartier.

Un jardin à distance

Grâce aux projets d'agriculture soutenue par la communauté, les légumes frais et biologiques deviennent accessibles et peu coûteux. Ces programmes vous permettent d'être jumelés avec des agriculteurs dont vous achetez à l'avance une partie de la récolte. Pour environ 400 $, vous obtenez ainsi des paniers de fruits et de légumes frais pendant 20 semaines. Si vous n'avez pas les moyens de payer d'avance, on vous propose une formule de paiement en plusieurs versements. D'autres offrent la possibilité de travailler quelques heures à la ferme en échange du panier hebdomadaire. Pour information, communiquez avec l'organisme Équiterre en composant le (514) 522-2000.

Les surgelés, pratiques et économiques

Les légumes surgelés sont généralement cueillis à pleine maturité, au moment où ils regorgent de fraîcheur et de nutriments. Ils sont surgelés dans les heures qui suivent leur récolte, sans ajout de sel, de colorant, d'agents de conservation ou d'additifs. Ils peuvent donc être encore plus nutritifs que des produits frais dont on ignore les conditions de transport et d'entreposage. Les surgelés sont souvent moins chers que les produits frais, surtout hors saison. De plus, ils sont composés uniquement de la partie comestible de l'aliment; on évite le gaspillage.

Pour maximiser leur qualité, il faut les entreposer à 0 °F (ou –18 °C). Même si ces produits conservent leurs qualités pendant une année, il est recommandé de les consommer dans les trois mois suivant l'achat. Après chaque utilisation, il faut retirer le plus d'air possible de l'emballage et refermer ce dernier hermétiquement avec une attache de métal.

Assurances

Assurance collective : s'assurer d'être bien informé

Vous adhérez à une assurance collective ? Économiquement, cela s'avère intéressant. Mais connaissez-vous l'étendue de votre couverture ? Si ce n'est pas le cas, cela peut être problématique. Par exemple, si vous partez en voyage, peut-être déciderez-vous d'acheter une assurance-voyage alors que vous êtes déjà couvert sans le savoir. En matière de soins de santé, vous payerez donc deux fois... mais vous ne serez pas doublement protégé. Et l'indemnité, elle, ne sera versée qu'une fois. De la même façon, si votre conjoint ou conjointe souscrit à une assurance offrant une protection dite « familiale », vous êtes protégé. Il serait donc bête de payer à votre tour pour votre propre assurance. Pour éviter toute confusion, exigez de la personne responsable chez votre employeur qu'elle vous fournisse une information écrite suffisante pour que vous connaissiez bien la couverture dont vous bénéficiez par le biais de votre assurance collective.

Assurances liées à une carte de crédit : partir sans elles

Selon une étude réalisée par Option consommateurs, les assurances liées aux cartes de crédit recèlent de nombreux problèmes. Par exemple, les contrats (lorsqu'ils sont remis aux consommateurs) sont difficiles à comprendre. Les limitations sont importantes, les couvertures sont minimes et les coûts sont élevés. En fait, ce type d'assurance profiterait davantage aux compagnies d'assurances qu'aux consommateurs. Avant de souscrire à une telle assurance, donc, évaluez vos besoins. Autre conseil : jetez un coup d'œil à votre relevé de carte de crédit. De nombreux consommateurs payent déjà une telle assurance sans même le savoir. Peut-être êtes-vous de ceux-là ?

C'est que souvent la demande d'assurance s'effectue automatiquement dès que vous apposez votre signature sur un formulaire de demande de carte de crédit. Les primes sont alors portées au compte de la carte. Il faut être très méticuleux et vérifier avec attention son compte mensuel pour constater que l'on paye une prime. À l'opposé, certains émetteurs de cartes payent eux-mêmes la prime durant la première année d'existence de la carte. En conséquence, plusieurs bénéficiaires en viennent à oublier ladite assurance et ne réclament rien alors qu'ils le pourraient.

Magasiner une fois l'an

Voilà venu le moment de renouveler votre contrat d'assurance automobile ou d'assurance-habitation ? Pourquoi ne pas demander une soumission à quelques courtiers ou agents ? Lorsqu'ils désirent vous avoir comme client, ces derniers sont souvent plus enclins à baisser leurs prix que quand ils croient que vous leur resterez fidèle quoi qu'il arrive. Magasiner pourra vous permettre de trouver un meilleur prix ailleurs, ou de négocier à la baisse votre prime auprès de votre courtier ou agent actuel. Dans le pire des scénarios (vous ne trouvez pas moins cher ailleurs), vous serez certain d'avoir fait le bon choix.

Automobile

Avant d'acheter une auto d'occasion

Vous vous apprêtez à acheter un véhicule d'occasion? Afin de ne pas payer plus cher que ce que vaut vraiment l'automobile convoitée, consultez des publications comme le *Canadian Red Book* ou le *Canadian Black Book*. Ces guides (que vous trouverez dans plusieurs bibliothèques municipales) donnent la valeur actuelle de tous les types de véhicules d'occasion sur le marché. Le prix indiqué est cependant théorique et ne doit vous servir que comme repère, car la valeur sera aussi déterminée par des facteurs comme l'état général de la voiture, de ses pièces, de la carrosserie, le kilométrage parcouru, les options ajoutées, etc.

Autre point important: lorsque l'on achète un véhicule d'occasion, il est absolument essentiel de le faire inspecter. Cette mesure préventive vous épargnera les mauvaises surprises. De plus, elle vous aidera à fixer un prix qui vous semblera raisonnable en fonction de ce que vous aurez appris sur la condition de l'automobile. Attention: assurez-vous que cette vérification soit effectuée par un expert indépendant qui n'est aucunement lié au vendeur.

L'inspection semestrielle: dépenser un peu plus pour économiser beaucoup de sous

Selon l'Association pour la protection des automobilistes (APA), il faut se méfier des promotions du genre «mise au point pour 24,95 $», car elles sont incomplètes et inadéquates. Il est plutôt recommandé de faire effectuer une inspection complète de sa voiture deux fois par année (avant l'hiver et avant l'été). L'inspection semestrielle comprend la vérification des éléments suivants: système d'injection, système d'échappement, système électrique, pneus et tous les liquides (ces derniers doivent être remplacés au besoin). On vérifie également le fonctionnement du système de refroidissement ainsi que l'état de la suspension et celui des freins. Une telle inspection coûte une centaine de dollars. Elle permet d'avoir un véhicule sécuritaire, qui fonctionne bien et qui ne dépense pas plus d'essence qu'il ne le doit. Ce qui, à long terme, est économique.

Épargner son radiateur en changeant l'antigel

Changer l'antigel tous les ans (en présumant que vous roulez environ 20 000 kilomètres par année) permet d'éviter le gel, la surchauffe ou la corrosion de votre radiateur. Vidanger votre radiateur et y verser de l'antigel propre combat la corrosion et l'accumulation de rouille. Celle-ci entrave le débit du liquide de refroidissement et peut détruire le radiateur. Dans les cas extrêmes, elle peut mener à une panne du moteur. Consultez votre manuel du propriétaire afin de connaître le type d'antigel requis pour votre véhicule.

Faire réparer sa voiture au bon endroit

Quand vient le temps de choisir un garage ou un mécanicien, bien des gens ne savent pas où se diriger. Critère non scientifique, mais généralement très fiable, l'expérience de vos parents, amis et collègues de travail peut sans doute faciliter votre choix. Vous pouvez aussi vous orienter vers l'un ou l'autre des garages recommandés par le CAA-Québec. Si vous êtes membre de cette association, vous profitez alors d'une garantie d'une année ou de 20 000 kilomètres sur les réparations.

Automobile

Votre concessionnaire peut s'occuper de l'entretien courant ou des réparations nécessitées par un défaut ou un bris quelconque. Les garages spécialisés, eux, sont experts dans des types précis d'ouvrages : la carrosserie, les freins, le système d'échappement, la suspension, le système électrique, la transmission, etc. Enfin, une station-service qui offre les services d'un mécanicien peut s'occuper des réparations mineures.

Pour que l'hiver ne coûte pas trop cher

Avec un antigel approprié dans le système de refroidissement et une huile à moteur conforme aux normes du fabricant, vous venez de franchir une première étape pour éviter des dépenses de réparation ou de remplacement provoquées par des troubles liés à la conduite hivernale. Si votre véhicule est doté d'un chauffe-moteur, branchez-le deux ou trois heures avant votre départ quand le mercure descend sous les – 15°C. Dans de telles conditions, il est aussi fortement recommandé d'ajouter un peu de liquide antigel pour canalisations à essence.

Pour ne pas endommager votre moteur, évitez de lui imposer des efforts intenses tout de suite après l'avoir mis en marche. En outre, pour épargner votre système de charge, ramenez tous les accessoires au point mort avant de couper le contact.

Cadeaux

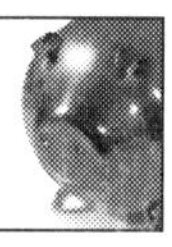

Opter pour l'échange

Le temps des fêtes de fin d'année amène avec lui le casse-tête des cadeaux. Plusieurs solutions peuvent vous aider à traverser cette période sans ruiner votre santé ni votre compte en banque. Offrir un cadeau à chaque personne de notre entourage est souvent impossible ; pourquoi ne pas organiser un tirage au sort ? On tire un nom au hasard et c'est à cette seule personne qu'on achète un présent. Fixer un montant à ne pas dépasser mettra tout le monde à l'aise tout en évitant l'embarras au moment du dépouillement.

Des présents peu chers

Offrir des présents est agréable tant pour ceux qui les reçoivent que pour ceux qui les donnent. À condition que ces derniers ne dépassent pas leur budget.

Votre recette de sucre à la crème ou de confiture est célèbre ? Offrez ces gâteries dans des emballages soignés. Fabriquer de jolis napperons, tricoter une écharpe, peindre un parapluie ne vous coûtera pas cher, et l'originalité de l'objet ravira le destinataire. En utilisant les plantes que vous avez à la maison, faites quelques boutures, mettez-les dans un pot de grès tout simple que vous aurez peint, vous donnerez ainsi un cadeau qui durera longtemps. Avec des photos ou des affiches des personnages préférés des enfants de votre entourage, vous pouvez fabriquer des puzzles en les collant sur un carton et en les découpant. User d'imagination et de débrouillardise procure un grand plaisir autant à celui qui offre qu'à celui qui reçoit.

Cadeaux

Vous avez une bonne plume ? Pourquoi ne pas composer un texte poétique ou humoristique à l'intention d'un membre de la famille ou d'un ami ? En plus d'être économique, ce genre de présent fera plaisir en raison du temps et de l'effort consacrés par la personne qui l'offrira. Et celle qui le recevra n'aura pas à aller l'échanger le 26 décembre, car elle n'en aura pas reçu un identique dans la belle-famille.

Si vos talents sont plus orientés vers la création visuelle, pensez à proposer une petite peinture, une aquarelle ou un dessin. Vous vous passionnez pour la photographie ? Offrez des images prises par vous-même aux gens qui vous sont chers. Et si l'on vante vos talents musicaux, vous pouvez les partager en enregistrant et en offrant une cassette des airs qui contribuent à votre bonne réputation.

Vous préférez acheter quelque chose ? Pourquoi ne pas opter pour de l'usagé ? On hésite parfois à donner des cadeaux qui ne sont pas neufs. Pourtant, les enfants seront toujours heureux de recevoir un jouet, même s'il a déjà servi. Dans la plupart des régions, il existe des boutiques où l'on trouve des jouets d'occasion réparés et nettoyés, qui semblent neufs. Autre truc : pourquoi ne pas offrir quelque chose de joli qui vous appartient ?

Il existe enfin une autre solution : donner de son temps. Les parents de jeunes enfants seront enchantés de recevoir des coupons échangeables contre des heures de gardiennage. Cela ne coûte rien. Et ils pourront ainsi sortir le cœur léger pendant que vous vous occuperez de leurs enfants. Ou, encore, proposez à votre vieille tante de faire ses courses, à votre sœur de peindre sa cuisine, à votre mère de décaper ce meuble ancien qu'elle a trouvé dans une vente-débarras.

Des emballages qui ne coûtent rien

Le papier d'emballage et les rubans coûtent cher. Soyez original à bon compte : utilisez des pages de magazines, des feuilles de papier journal ou un reste de tissu. Remplacez le ruban par un morceau de tulle, des fleurs séchées ou quelques autocollants.

Chauffage

Détecter les fuites et bien isoler sa demeure

L'air froid qui s'infiltre dans la maison et l'air chaud qui en sort font rapidement grimper les frais de chauffage, qui représentent en moyenne, à eux seuls, 55 % de la facture d'électricité. Pour détecter ces problèmes, munissez-vous d'une bougie ou d'un bâton d'encens. Par temps froid et venteux, faites le tour de la maison en tenant votre « détecteur » près des cadres des fenêtres et des portes, des prises de courant, des plinthes, de la cheminée et de tout endroit par où l'air est susceptible d'entrer ou de sortir.

Ensuite, recouvrez les fenêtres et leur cadre d'une pellicule de plastique transparent du type que l'on fixe avec du ruban collant et qui se rétracte sous l'effet de la chaleur produite par un séchoir à cheveux. Il faut porter attention particulièrement aux fenêtres situées à l'étage supérieur, car c'est généralement par là que l'air fuit le plus. Les fenêtres du sous-sol, elles, sont plutôt sujettes aux infiltrations. N'oubliez pas que les fenêtres sont responsables de 15 % à 20 % des pertes de chaleur. Il est aussi recommandé d'installer des coupe-bise — des petites bandes isolantes installées à l'intérieur du cadre — adaptés aux différents types de portes. Pour les fenêtres, du calfeutrant appliqué là où l'air passe s'avère toujours une solution efficace, du moment qu'il ne se fissure pas en séchant.

En plus d'isoler les fenêtres et les portes, parce que l'air peut y passer facilement, il ne faut pas négliger de vérifier les murs. On peut réaliser de bonnes économies en recourant à des produits comme de la fibre à base de roche volcanique ou encore un isolant à souffler fabriqué à partir de papier journal.

On peut aussi prévenir l'infiltration d'air en installant des boîtes électriques à deux enveloppes dans tous les murs du périmètre extérieur de la maison. De même, on peut installer des bouches d'évacuation à clapet là où s'échappe l'air de la hotte, celui de la sécheuse ou de l'aspirateur central. Bien posées, ces bouches procurent une économie d'énergie allant jusqu'à 10 %.

La bonne température

Pour éviter de surchauffer votre résidence, baissez les thermostats de 3 à 4°C dans les pièces inutilisées et fermez-en les portes. Faites-le pour la nuit et chaque fois que vous quittez la maison pour plus de deux heures. La température idéale est de 17°C la nuit ou quand la pièce est inoccupée et de 21°C quand vous vous y trouvez. Chaque degré de moins réduira votre facture d'électricité de 2 %.

Pour maximiser le rendement de vos sources de chaleur, évitez de placer des meubles devant ou sur elles. Comme la chaleur s'élève dans les airs, un meuble placé devant une plinthe chauffante vous empêchera d'en sentir les effets. N'oubliez pas de nettoyer les lamelles des plinthes à l'aide d'une brosse douce et d'un aspirateur.

Chauffage

Le thermostat programmable : un ami chaleureux

Les thermostats programmables constituent un excellent moyen de réduire votre facture d'électricité. Grâce à lui, pour chaque degré de chaleur de moins, vous économiserez 2 % en frais de chauffage. Il s'agit de bien le régler pour en tirer le meilleur parti.

Il faut opter pour les modèles qui offrent au moins deux périodes quotidiennes de réduction et de rétablissement de la température. L'appareil doit être facilement programmable, mais il doit aussi vous permettre d'annuler rapidement les instructions programmées si les habitudes de ceux qui demeurent dans la résidence changent. Programmez votre thermostat afin qu'il abaisse automatiquement la température pendant que personne ne se trouve dans la maison au cours de la journée et pour qu'il l'augmente avant leur retour en fin d'après-midi ou en début de soirée. Votre thermostat devrait également pouvoir réduire la température la nuit lorsque tous les occupants dorment et la remonter avant leur réveil matinal. Notez que l'Office de l'efficacité énergétique de Ressources naturelles Canada peut vous fournir des renseignements sur les méthodes efficaces pour réduire vos factures d'énergie. Vous pouvez le joindre au 1 800 387-2000. Site Web : http://oee.rncan.gc.ca

Crédit

Carte de crédit : ne pas perdre le contrôle

Évitez d'utiliser votre carte de crédit uniquement parce que vous n'avez pas suffisamment d'argent sur vous pour payer un achat. Dans ces circonstances, servez-vous plutôt de votre carte de débit. Par ailleurs, il est normal d'utiliser sa carte de crédit lorsque l'on désire différer légèrement le paiement d'un achat. Si vous employez votre carte de crédit sur une base régulière, assurez-vous de savoir combien vous avez dépensé.

Chaque mois, payez toujours la totalité de votre solde. C'est ce que font d'ailleurs la moitié des détenteurs de cartes de crédit au Canada. Cela vous évitera de payer des taux d'intérêt parfois faramineux (jusqu'à 28 % dans le cas de cartes de grands magasins).

Enfin, procurez-vous une carte de crédit émise par une institution financière et n'utilisez que celle-là. Les taux d'intérêt de ces cartes régulières (18 %) sont plus bas que ceux des cartes des compagnies pétrolières (24 %) et des grands magasins (28 %). Et n'avoir qu'une seule carte permet de se rappeler plus facilement la somme dépensée à l'aide de cette carte et, ce faisant, de gérer plus facilement ses finances personnelles.

Ne pas vivre sur sa marge

Une marge de crédit est une limite à l'intérieur de laquelle notre institution financière nous permet d'emprunter. Par exemple, si l'on doit acquitter un paiement de 2500 $ et que le solde de notre compte n'est que de 200 $, on pourra puiser la différence dans la marge de crédit, si elle est suffisante, bien entendu.

La marge peut s'avérer utile au moment d'acquisitions importantes, comme un ordinateur. Toutefois, certains s'en servent pour régler la note d'achat de biens de consommation courante. En agissant de cette façon, ils diminuent la somme qui pourrait leur servir en cas de dépenses majeures.

Carte à taux réduit : ce n'est pas pour tout le monde

Au premier coup d'œil, les cartes de crédit à taux réduit peuvent paraître attirantes. Toutefois, quand on s'y attarde, on découvre rapidement qu'elles ne sont pas parfaites. Pour ces cartes, dont les taux sont de quelque 9 à 10 % (plutôt que les 18 % des cartes ordinaires), on impose des frais annuels variant d'une quinzaine à une trentaine de dollars. Pour qu'utiliser une telle carte soit avantageux, il faut donc que vous puissiez économiser en intérêts plus que ce que vous payez en frais. Par exemple : vous avez un solde de 1500 $ et le taux de votre carte de crédit est de 18,4 %. Vous devez donc payer un intérêt mensuel de 23 $. En un mois, vous aurez ainsi déboursé un montant égal à ce qu'auraient coûté les frais annuels d'une carte standard. Dans votre cas, la carte à taux réduit est avantageuse. Avant de troquer une carte conventionnelle contre une carte à taux moindre, il faut connaître réellement ses habitudes. Un intérêt peu élevé, c'est bien. Mais pas d'intérêt du tout, c'est mieux.

Crédit

« Achetez maintenant, payez plus tard. » Se méfier !

Qui n'a jamais entendu parler de la fameuse offre commerciale « Achetez maintenant, payez plus tard : aucun intérêt avant 12 mois » ? Si votre capacité de rembourser est faible, ce type d'offre pourrait se transformer en cauchemar. Selon l'Office de la protection du consommateur, la moitié des acheteurs qui utilisent ce mode de financement sont incapables de rembourser intégralement à l'échéance. Le taux de crédit qu'ils doivent alors payer peut atteindre 30 % et même plus. Avant de succomber à de telles offres, posez quelques questions : Des frais d'administration sont-ils imposés ? Le commerçant a-t-il des exigences ? Si je ne peux payer la totalité de ma dette à la date d'échéance, que se passera-t-il ? Avec quelle compagnie de finance devrai-je traiter ? Quels seront les taux d'intérêt et quand commenceront-ils à courir ? etc.

Bien négocier ses emprunts

Négocier un prêt avec une institution financière est une opération qui se prépare. Il faut d'abord prendre conscience que vous n'allez pas quémander, mais plutôt établir une entente d'affaires qui doit satisfaire les deux parties : vous et l'institution prêteuse. Pour maximiser vos chances, adressez-vous d'abord à votre propre banque ou caisse. Celle-ci connaît bien votre historique financier et, si vous êtes client depuis longtemps, elle peut aussi vous connaître personnellement. Ce dernier avantage pourrait s'avérer déterminant.

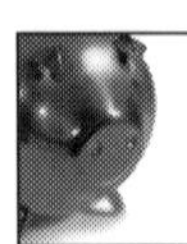

Crédit

Avant de décider quelle somme vous voulez emprunter, évaluez votre capacité de remboursement. Plus on rembourse rapidement, moins on paie d'intérêt, mais plus les versements sont élevés. Avant de décider quelle somme vous aurez à payer chaque mois et durant combien de temps vous aurez à le faire, demandez-vous de quels compromis vous êtes capable. Il est parfois plus facile de se serrer la ceinture durant une courte période que d'avoir des dettes durant une longue période.

Si la somme dont vous avez besoin est inférieure à 5000 $, vous n'obtiendrez probablement pas de prêt bancaire, car prêter de petites sommes n'est pas rentable pour les institutions financières. Toutefois, vous pourrez alors avoir recours à une marge de crédit.

Renégocier son prêt étudiant est aussi possible, et cela vaut la peine. Prenons le cas d'un étudiant qui doit rembourser un prêt de 15 000 $ en 10 années. À un taux de 8,5 %, il aura, à l'échéance, payé le double du montant emprunté. En renégociant au moment où les taux sont inférieurs, par exemple à 6,5 %, l'ancien étudiant pourrait économiser 2 000 $. L'entente initiale serait annulée et il en obtiendrait une plus courte (d'une à cinq années de moins).

Emprunter pour son REÉR, une bonne idée ?

Si vous ne disposez pas du montant suffisant pour déposer dans votre REÉR la somme maximale à laquelle vous avez droit, vous pouvez emprunter la différence. Les institutions financières sont généralement très obligeantes pour de tels prêts, car c'est souvent chez elles que les emprunteurs vont y replacer l'argent. Toutefois, il faut bien s'assurer de ne pas dépasser sa capacité de rembourser.

Les prêts REÉR sont généralement de courte durée (d'une à trois années). Ils peuvent être à taux fixes ou variables quotidiennement. Certains prêts, moins courants, sont remboursables en un seul versement à une date fixée par le prêteur au moment de la signature. Les taux des prêts REÉR sont presque toujours de deux ou trois points inférieurs à ceux des prêts conventionnels. Ces taux peuvent même être réduits dans le cas où l'on achète son REÉR à l'institution où l'on emprunte. Cela dit, il n'existe aucune obligation en ce sens.

Plusieurs personnes empruntent pour une année et utilisent leur remboursement d'impôt pour payer en totalité ou en partie leur emprunt. C'est une bonne façon de procéder, car cela permet de ne pas trop s'endetter.

Quelques façons de se sortir d'un endettement

Si vous avez emprunté un montant, mais qu'il est encore insuffisant pour vous permettre d'assumer le paiement de certaines dépenses, vous pouvez demander à votre institution de vous refinancer et d'échelonner le terme sur 12 mois additionnels. Si cette méthode vous donne plus de temps pour payer, elle n'annule toutefois pas le coût du crédit original.

Crédit

Si vous avez emprunté pour acheter votre voiture ainsi que des meubles, que votre marge de crédit a atteint sa limite et que les comptes en souffrance s'accumulent, vous devriez peut-être consolider vos dettes, c'est-à-dire les regrouper pour qu'elles fassent l'objet d'un seul paiement. Vous devrez donc établir une entente avec votre institution. La solution sera profitable si vous parvenez à obtenir un taux inférieur à celui qui prévaut sur vos prêts actuels.

Autre solution : le dépôt volontaire. Ce procédé vous permettra de payer vos dettes tout en vous mettant à l'abri des saisies de salaire. Il consiste à déposer auprès du ministère de la Justice une partie de votre salaire. Chacun des créanciers à qui vous devez de l'argent sera remboursé partiellement à l'aide de ce dépôt, et cela, au prorata des sommes qui lui sont dues. Le calcul des dépôts est effectué sur la base de votre salaire brut, donc avant toute déduction. Cette solution vous permettra de payer des dettes peu élevées ; elle ne devra toutefois pas être en vigueur trop longtemps, car on continuera quand même de prélever des impôts sur votre salaire et il ne vous restera donc que peu d'argent pour vivre.

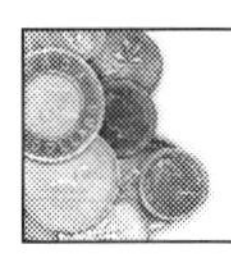

Déménagement

Faire le ménage avant plutôt qu'après

Les vieux vêtements que l'on s'apprête à donner, les magazines destinés à la récupération et les livres qu'on ne lira plus ne devraient pas se retrouver dans les boîtes du déménagement. Six mois avant le moment fatidique, décidez ce que vous voulez emporter avec vous. Les boîtes remplies de choses qu'on ne veut plus coûtent cher. Sans compter qu'elles sont fort encombrantes.

Faire soi-même l'emballage

Vous vous apprêtez à faire affaire avec des déménageurs? Afin d'épargner des sous, procédez vous-même à l'emballage de vos biens. Lorsque vous vous y mettez, n'hésitez pas à multiplier les couches de papier entre vos objets plus fragiles. Ou encore utilisez des billes de styromousse. Rappelez-vous: les objets ne doivent pas bouger à l'intérieur des boîtes. Certaines choses que l'on utilise peu souvent peuvent être emballées des mois à l'avance. Afin que l'opération soit efficace, demandez à toute la famille d'y participer. Prenez aussi le temps de bien inscrire sur chaque boîte tout ce qu'elle contient et la pièce dans laquelle on doit la transporter; une fois rendu sur place, vous vous retrouverez plus rapidement.

Pour obtenir des boîtes solides qui ne coûtent rien, adressez-vous à la Société des alcools du Québec. Ses boîtes sont petites (idéales pour les livres, par exemple) et résistantes. On en trouve aussi dans les épiceries, mais elles sont plus ou moins robustes et de toutes les grandeurs. Choisissez-les solides et renforcez-les avec du ruban gommé. À l'un et l'autre endroit, il est préférable d'appeler pour savoir quand on peut se procurer les boîtes. Certaines déménageurs exigent que les boîtes ferment et soient empilables. On peut se procurer de telles boîtes auprès des entreprises de déménagement ou en consultant les pages jaunes sous la rubrique « boîtes de carton ». Un conseil : si vous déménagez le 1er juillet, commencez à en faire provision durant les mois précédents. En attendant à la dernière minute, vous pourriez être mal pris.

Demander des évaluations et magasiner

Le choix du déménageur constitue une opération à laquelle il faut se consacrer sérieusement, car un mauvais choix peut entraîner des dépenses étonnamment élevées. Consultez d'abord votre bottin. Les entreprises qui s'y trouvent ont au moins l'avantage de posséder une adresse, contrairement à celles qui apparaissent chaque printemps pour mieux disparaître après la saison des déménagements. Vous pouvez également entrer en contact avec l'Association du camionnage (514-932-0377), où l'on vous donnera les noms de déménageurs qualifiés dans votre secteur.

Prenez contact avec au moins deux ou trois entreprises et informez-vous des tarifs. Au téléphone, on peut vous donner une bonne idée de ce que cela vous coûtera selon le tarif horaire en vigueur. Si l'on ne peut vous fournir une évaluation sur papier (ce qui est le cas pour les déplacements de moins de 50 kilomètres), on pourra, en revanche, vous indiquer approximativement le prix, celui-ci comprenant le camion, les services du chauffeur, la main-d'œuvre et les accessoires nécessaires (couvertures, sangles, ceintures, rampes de chargement, diables, etc.). De façon générale, on compte une heure par pièce. Toutefois, la facture risque de grimper si vous négligez de débrancher les appareils ou de démonter les meubles la veille. Il est fortement recommandé d'exiger un contrat écrit. De cette façon, vous posséderez une preuve en cas de contestation.

Pour éviter les mauvaises surprises, lisez bien votre contrat. La plupart des déménageurs facturent une heure supplémentaire pour couvrir le déplacement. Certains, peu importe la durée du déménagement, font payer un minimum de quatre heures. Puisque des frais inattendus peuvent s'ajouter (plus de boîtes nécessaires que prévu, objets fragiles ne figurant pas au contrat, etc.), il est essentiel de réclamer dans votre entente une clause stipulant que l'entreprise n'excédera pas son estimation de plus de 10 %.

Faire affaire avec un déménageur coûte cher. D'autant plus qu'en juin et juillet on assiste à une escalade des prix. Pour minimiser les dégâts, évitez de déménager le 24 juin ou le 1er juillet; durant ces jours fériés, peut-être aurez-vous à payer jusqu'à 160 $ l'heure. Notez que déménager le week-end coûte aussi plus cher.

Demandez quel type d'assurance détient l'entreprise. Parfois, certaines assurances engagent la responsabilité des déménageurs selon la masse des articles plutôt que leur valeur réelle. D'autres entreprises proposent à leurs clients une assurance de base couvrant les biens pour leur valeur réelle. Bien entendu, vous pouvez toujours opter pour votre propre assureur.

Après le déchargement, on vous demandera de signer un constat confirmant que vos biens vous sont remis dans l'état où ils se trouvaient avant le transport. Après vérification sommaire, vous pouvez signer le document, mais en inscrivant que c'est sous réserve d'un examen futur. Auparavant, vous aurez photographié vos différents objets de valeur. S'ils sont en parfait état avant leur déménagement, il vous sera plus facile de déceler les dommages subis.

Enfin, n'oubliez pas de confirmer avec vos fournisseurs les dates d'interruption et de reprise des services ainsi que les frais qui vous seront facturés : assurances, téléphone, électricité, etc. Dans ce dernier cas, il est souhaitable de faire la lecture des compteurs au départ de l'ancienne résidence et à l'arrivée de la nouvelle. Enfin, notez le nom des personnes à qui vous aurez parlé de même que la date des appels afin de les retrouver rapidement en cas de problème ou de mésentente avec le fournisseur du service.

Le faire soi-même

Déménager vous-même nécessite aussi quelques précautions si vous voulez éviter que l'aventure vous vide les poches. Par exemple, si vous connaissez quelqu'un qui possède un camion et qui peut le conduire, assurez-vous que cette personne est bien assurée et informez-vous de la franchise à débourser en cas d'accident. Appelez aussi votre courtier afin de savoir si vos assurances responsabilité vous protégeront advenant un accident. Si ce n'est pas le cas, il faudrait y remédier avant le jour du déménagement. Enfin, si vos amis acceptent de vous aider, assurez-vous qu'ils ont tout l'équipement dont ils ont besoin. S'ils se blessaient durant l'aventure, peut-être ne vous garderaient-ils par leur amitié...

Eau chaude

Plusieurs manières d'économiser l'eau chaude

L'eau chaude constitue une source de gaspillage, tant dans son préchauffage que dans son utilisation. Il faut d'abord régler les thermostats du chauffe-eau à 120°C. Certaines personnes préfèrent les monter à 140°C en raison du risque de prolifération des bactéries à une température inférieure. Pour éviter ce problème, on doit vidanger l'appareil au moins deux fois par année.

On peut aussi installer le chauffe-eau sur un socle et l'entourer d'une gaine isolante. Il faut également songer à isoler les tuyaux d'eau chaude du chauffe-eau au moyen d'une gaine, d'un ruban ou d'un tube. Une telle mesure procure une économie pouvant atteindre 120 $ en 10 ans. Le réservoir du chauffe-eau, lui, doit être enveloppé d'une couverture isolante s'il est placé dans un endroit peu ou pas chauffé. Idéalement, la température du chauffe-eau sera maintenue à 60°C (140°F).

Puisque le chauffe-eau représente de 18 % à 25 % de la facture d'énergie, il est souhaitable de prendre les mesures appropriées et de surveiller nos habitudes. Par exemple, une pomme de douche à faible débit, qui utilise 60 % moins d'eau chaude qu'une pomme ordinaire, permettra de réduire jusqu'à 15 % de la consommation annuelle. Concrètement, cela se traduit par une économie pouvant aller jusqu'à une cinquantaine de dollars.

Eau chaude

Les petites rondelles de caoutchouc (mieux connues sous leur nom anglais de *washers*) peuvent vous coûter jusqu'à 35 $ par année si elles sont usées. Ainsi, une rondelle qui laisse couler une goutte par seconde pendant un mois gaspillera l'équivalent de 16 baignoires pleines d'eau chaude.

Quant à la lessive, sachez qu'en lavant les vêtements à l'eau chaude, une famille avec un enfant dépensera en moyenne 10,88 $ tous les deux mois. Alors que si elle utilise l'eau froide pour cette opération, la dépense chute à 81 ¢. Étalée sur une année complète, l'économie réalisée est de 60,42 $.

Autre conseil : ne mettez en marche votre laveuse et votre lave-vaisselle que quand ils sont remplis à capacité, et choisissez le cycle le plus court possible. Enfin, plutôt que de rincer vos assiettes avant de les déposer dans le lave-vaisselle, enlevez plutôt manuellement les surplus de nourriture. En effet, cinq minutes de rinçage peuvent consommer jusqu'à 100 litres d'eau.

Électricité

Choisir les bons électroménagers

La consommation d'énergie d'un réfrigérateur ou d'un congélateur est proportionnelle à la taille de l'appareil. Il est donc capital de choisir celui qui répond le mieux à ses besoins. Ainsi, pour une famille de trois ou quatre personnes, un réfrigérateur de 395 à 480 litres (14 à 17 pi^3) conviendra. Pour chaque personne de plus ou de moins, on additionnera ou on enlèvera 55 litres (2 pi^3). Pour un congélateur, il faut compter 130 litres (4,5 pi^3) par personne.

Pour ce qui est des congélateurs, sachez que les modèles horizontaux sont plus efficaces que les verticaux. Comme l'air froid est plus lourd que l'air chaud, il demeure à l'intérieur de l'appareil même quand la porte de celui-ci est ouverte.

Quant aux cuisinières électriques, les modèles à surface lisse et avec éléments encastrés sous verre utilisent plus d'énergie que les cuisinières conventionnelles.

Assurez-vous que les appareils que vous achetez portent l'étiquette ÉnerGuide. Celle-ci indique le numéro de modèle et la consommation électrique de l'appareil. Celui qui a la cote de consommation la plus basse est le plus efficace.

Au bon endroit et à la bonne température

La disposition des appareils électroménagers ne doit pas être laissée au hasard. Par exemple, un frigo installé dans un endroit trop restreint manquera d'air.

En conséquence, il fonctionnera moins bien et consommera plus d'énergie. Consultez le manuel du fabricant afin de connaître l'espace requis. Par ailleurs, il faut éviter de placer côte à côte la cuisinière électrique et le réfrigérateur. La première réchaufferait le second, qui dépenserait plus d'énergie pour refroidir les aliments.

Le saviez-vous? Un réfrigérateur de 18 pi^3 avec un congélateur sans givre peut représenter une dépense d'énergie d'environ 100 $ par année. Afin d'économiser des sous, vérifiez la température de votre réfrigérateur. Elle devrait toujours se situer entre 2 et 5 °C (36 à 41 °F). Assurez-vous que la porte en est parfaitement étanche. Et lorsque vous sortez des aliments pour préparer un repas, essayez de n'ouvrir la porte qu'une seule fois. Pour ce qui est du congélateur, sa température idéale est de –18 °C (0 °F). Pour que les dépenses énergétiques soient moins élevées, il faut le garder toujours plein. Si vous n'avez pas suffisamment d'aliments à mettre dedans, placez-y des bouteilles d'eau.

Une cuisson efficace permet d'économiser l'énergie

Lorsque vous faites cuire un plat sur votre cuisinière électrique, choisissez toujours une casserole de même dimension que l'élément chauffant. Et utilisez un couvercle bien ajusté afin d'éviter les pertes de chaleur inutiles. Chaque fois que vous le pouvez, utilisez un autocuiseur. Par ailleurs, évitez d'ouvrir la porte du four lorsque vous y faites cuire des aliments. Un peu avant la fin de la cuisson, éteignez le four ou le serpentin; les plats finiront de cuire grâce à la chaleur résiduelle.

Par ailleurs, sachez qu'il est souvent économique d'utiliser de petits appareils électriques pour certaines opérations. Par exemple, la meilleure façon de faire bouillir de l'eau demeure l'utilisation d'une bouilloire électrique dans laquelle on verse la quantité nécessaire d'eau froide. Pour réchauffer des croissants, le four grille-pain est plus économique que le four ordinaire ; il permettra une économie d'énergie pouvant atteindre 50 %. Pour cuire des légumes, il est préférable de recourir à un autocuiseur. Enfin, quand vient le temps de décongeler des aliments, employez le réfrigérateur plutôt que le micro-ondes. Ce dernier s'avère toutefois économique pour faire cuire une petite quantité d'aliments. En revanche, pour les mets qui demandent un temps de cuisson plus long, utilisez le four conventionnel.

Électroménagers

Bien entretenir ses appareils, c'est augmenter leur durée de vie

L'entretien des appareils électroménagers permet aussi d'économiser. Car avec un bon entretien, vous préserverez la vie de vos appareils. Tous les six mois, nettoyez les serpentins qui se trouvent en dessous et au dos du réfrigérateur. Faites de même avec les cuvettes placées sous les éléments chauffants de votre cuisinière électrique ; lorsqu'elles sont propres, elles réfléchissent mieux la chaleur.

Vos petits appareils doivent aussi être bien entretenus. Ainsi, pour les bouilloires, il ne faut jamais y laisser de l'eau en permanence afin d'éviter les dépôts de calcaire. Ceux-ci abîment le fini intérieur. Toutefois, si vous avez la mauvaise habitude d'y oublier de l'eau après utilisation, nettoyez votre bouilloire avec un mélange égal de vinaigre et d'eau.

Plusieurs personnes nettoient leur grille-pain en le retournant et en le secouant afin d'en éliminer les miettes. Erreur. En agissant de cette façon, elles risquent d'endommager le circuit électrique. Il faut plutôt enlever les miettes avec un linge humide après chaque utilisation. Toutefois, si des miettes demeurent collées sur les éléments chauffants, il faudra les brosser délicatement (une fois que l'appareil aura refroidi, bien sûr) avec une brosse à dents.

Pour ne pas brûler le moteur d'un batteur, il faut à tout prix éviter de le faire fonctionner à sa puissance maximum tout de suite après l'avoir mis en marche. Il vaut mieux augmenter graduellement sa vitesse. Pour la même raison, il faut s'assurer que la sortie d'air n'est pas bloquée: on la lave donc à l'occasion avec un nettoyant tout usage et un coton-tige.

C'est brisé ? Jeter un coup d'œil avant d'appeler un réparateur

Un appareil brisé ne nécessite pas toujours les soins d'un expert. Parfois, vous pouvez le réparer vous-même sans devoir y mettre le prix. Par exemple, si votre laveuse ne se remplit pas, fermez les deux robinets, débranchez l'appareil et dévissez les boyaux. Vous constaterez peut-être que les grilles des valves d'admission d'eau sont bouchées. Si la laveuse ne se vide pas, il est possible que des résidus de savon bloquent le tuyau d'évacuation. Débouchez-le et rincez la cuve à l'eau froide. Par ailleurs, une laveuse qui vibre n'est sans doute plus de niveau. Pour la rééquilibrer, vissez ou dévissez ses pieds de nivellement.

Si c'est la sécheuse qui se manifeste en menant un bruit d'enfer, c'est peut-être que les vis qui maintiennent les panneaux doivent être resserrées. Si elle tourne mais ne sèche pas bien les vêtements ou encore si elle met beaucoup de temps à le faire, il faut d'abord nettoyer le filtre à charpie. Puis, après avoir mis l'appareil en marche, on doit vérifier si le jet d'air qui sort de la grille d'aération située à l'extérieur de la maison est assez fort. S'il est faible, c'est que le tuyau est bouché. Il faut alors démonter la grille et nettoyer le tuyau en y passant une guenille enroulée autour d'un manche à balai.

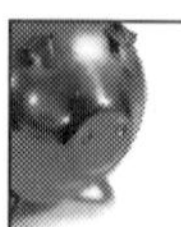

Électroménagers

Quand l'élément d'une cuisinière refuse de chauffer, c'est peut-être que les contacts sont encrassés. On doit alors couper le courant et les frotter avec de la laine d'acier. Si votre réfrigérateur ne fonctionne pas, nettoyez les serpentins du condensateur. Comment? Débranchez d'abord l'appareil et retirez la grille qui se trouve sous la porte ou à l'arrière. Puis, avec l'aide d'un aspirateur muni d'un embout, retirez la poussière accumulée.

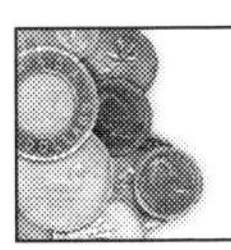

Enfants

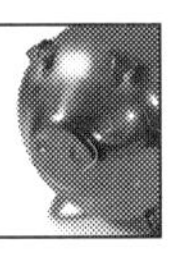

Des vêtements à bas prix

Il y a plusieurs manières d'économiser en matière de vêtements pour enfant. D'abord, on peut acheter ses vêtements en fin de saison ; ils coûteront moins cher. Il faut cependant avoir à l'esprit que neuf mois plus tard, quand cette saison reviendra, votre enfant aura grandi. Il faut donc prendre au moins une taille plus grande.

Une autre solution économique consiste à acheter des vêtements usagés dans des ventes-débarras, des fripe-ries, des bazars ou des vestiaires d'échanges. Ces endroits offrent l'avantage supplémentaire que les prix y sont très souvent négociables. Ou encore échangez les vêtements de vos enfants avec vos proches. Ça, ça ne coûte rien.

Autre possibilité : prolongez la vie de certains vêtements devenus trop petits. Par exemple, coupez les pantalons d'hiver à la hauteur du genou. Vous obtiendrez ainsi des bermudas pour l'été. Quant à la dormeuse, on peut en étirer la durée en coupant les pieds et en mettant des chaussettes aux petits. Si les bretelles de ses salopettes sont devenues trop courtes, pourquoi ne pas leur coudre un autre bouton ? Et si le pyjama d'hiver a les manches et les jambes trop courtes, on peut couper celles-ci pour le transformer en pyjama d'été.

De l'usagé, oui, mais sans sacrifier la sécurité

S'il est économiquement avantageux de se procurer des vêtements usagés, c'est aussi vrai pour des articles comme les sièges d'auto, les bassinettes, les poussettes, etc. Cependant, comme ces objets doivent être bien ajustés à votre enfant, il est recommandé de consulter auparavant la brochure *Votre enfant est-il en sécurité?* publiée par le Bureau de la sécurité des produits de Santé Canada. Les CLSC peuvent aussi vous renseigner au sujet des normes de sécurité en vigueur.

Une gardienne qui ne coûte pas cher

Il existe au Québec des associations d'échange-gardiennage (que l'on appelle aussi entraide-gardiennage). Elles fonctionnent sur la base d'échange d'heures de gardiennage avec d'autres parents de votre quartier ou de votre région. Les groupes d'entraide comptent d'une vingtaine à une centaine de familles. Pour y adhérer, il suffit de verser des frais d'inscription de 10 à 20 $. Notez que ces frais couvrent toute la période d'utilisation du réseau. En retour, on vous remet des coupons de garde qui équivalent à un certain nombre d'heures de gardiennage. On vous donne également la liste des membres de votre groupe ainsi que leur disponibilité pour assumer des heures de garde. Une fois que vous avez épuisé votre banque de coupons, vous devez garder des enfants afin d'en obtenir une nouvelle série.

Pour devenir membre d'une association d'échange-gardiennage, il vous faudra, dans la plupart des cas, vous soumettre à des entrevues et à une enquête, question d'assurer la sécurité des enfants. Une personne du regroupement passera aussi à votre domicile afin de vérifier si vos installations sont adéquates.

Votre CLSC pourra vous indiquer s'il existe un tel regroupement dans votre secteur. Et si vous désirez en lancer un, la Fédération des unions de familles peut vous fournir une petite brochure (4 $) pour en faciliter la mise sur pied. Vous obtiendrez des renseignements à ce sujet au (450) 466-2538.

Couches de coton : un choix logique et économique

Les couches de coton représentent un choix nettement plus économique que les couches jetables. Cette économie peut atteindre quelques centaines de dollars pour une période de 30 mois. Des gens ayant testé les deux types de couches ont conclu que c'est plus de 2 500 $ par enfant que vous économisez en choisissant les couches de coton plutôt que les couches jetables.

Les couches de bonne qualité (avec boutons-pression et velcro) ont l'avantage de pouvoir s'ajuster et ainsi durer de la naissance jusqu'à l'âge de la propreté. Pour les nettoyer, on recommande de les faire tremper dans de l'eau vinaigrée, de les laver à l'eau froide avec un savon javellisant, puis de les rincer deux fois. On peut aussi les laver à l'eau savonneuse et les faire sécher dans la sécheuse. La température élevée de l'appareil détruira les bactéries.

On emprunte des livres, pourquoi pas des jouets ?

Il existe dans certaines villes des organismes qui ont mis sur pied des services de prêt de jouets. Par exemple la Joujouthèque Hochelaga-Maisonneuve. Moyennant des frais annuels de 25 $, on peut y emprunter des jouets pour des périodes de deux semaines (il est toutefois possible de renouveler cet emprunt, par téléphone ou sur place, pour une autre période de deux semaines). En octobre 2000, plus de 10 000 jouets non violents pour enfants de tous les âges y étaient disponibles : jeux éducatifs, de société, de construction, d'assemblage, casse-tête, hochets, petits camions, livres-jeux, etc. On peut également y trouver des livres et des vidéocassettes, que l'on peut emprunter. Notez qu'il existe ailleurs au Québec des organismes qui fonctionnent comme la joujouthèque Hochelaga-Maisonneuve. Pour information, communiquez avec cette dernière au (514) 523-6501.

Achat de jouets : qui offre les meilleurs prix ?

Certains consommateurs croient que les boutiques spécialisées vendent leurs jouets à des prix plus élevés que les grands magasins ou les grandes surfaces. En novembre 1997, Option consommateurs a mené une étude sur le sujet. Le groupe a comparé les prix demandés pour 15 jeux ou jouets par différents détaillants. Résultats : 12 d'entre eux étaient en effet moins chers dans la grande surface, deux jouets étaient offerts à des prix identiques, alors qu'un seul était vendu moins cher dans une boutique spécialisée.

Cela dit, Option consommateurs n'a pas mesuré que les prix. L'association a aussi cherché à savoir qui offrait le meilleur service. Conclusion : les commerces spécialisés présentent l'avantage de compter sur du personnel disponible et qualifié. Ainsi, les vendeurs y posent de nombreuses questions sur l'enfant à qui est destiné le jouet convoité. De cette façon, il peut proposer un produit approprié, convenant au développement de l'enfant et à son tempérament.

Diminuer la facture du matériel scolaire

Il est préférable de s'y prendre tôt pour se procurer du matériel scolaire. Si vous attendez trop, le choix sera moindre, certains éléments manqueront et vous devrez multiplier les déplacements pour trouver les objets recherchés. Bien entendu, avant de se lancer dans les achats, il faut vérifier ce qui est encore utilisable dans le matériel de l'année précédente.

Puisque certains articles devront de nouveau être achetés l'année prochaine (crayons à la mine, cahiers, bâtons de colle, stylo, etc.), il serait très sage de profiter des soldes et d'en faire provision.

Une autre solution consiste à se procurer ces produits dans un magasin à 1 $. Règles, crayons, bâtons de colle et cahier s'y vendent peu cher. On y trouve également des reliures à anneaux et des feuilles mobiles.

Par ailleurs, si vos enfants ont besoin d'un ordinateur, vous pourriez opter pour un appareil recyclé. Vous en trouverez à bon prix chez Renaissance Montréal

(514-276-3626). Les pièces et la main-d'œuvre sont garantis pour 30 jours.

Des idées économiques pour nourrir, soigner et amuser bébé

Les fabricants de lait maternisé offrent des échantillons aux nouveaux parents. Utilisez-les, car ils peuvent servir à la transition entre le lait maternel et le lait de vache. Vous pouvez aussi remplacer la farine des muffins ou des petits gâteaux par des boîtes de céréales non employées. Les vieux contenants de plastique sécuritaires peuvent devenir des jouets qui amuseront votre bébé pendant longtemps.

Accessoires et meubles à bon prix

Malgré la joie qui entoure l'arrivée d'un bébé, il faut demeurer rationnel quand vient le temps des achats. Une bonne façon est de dresser la liste des objets nécessaires. Vous éviterez ainsi de devoir vous les procurer à la dernière minute. De plus, cela vous donnera le temps de dénicher les meilleurs prix.

Si cela est possible, pourquoi ne pas prélever chaque quinzaine un petit montant sur vos revenus ? De même, n'hésitez pas à acheter d'avance et à stocker les couches, le savon et les produits d'hygiène, surtout quand ils sont en solde. En plus des économies d'argent, vous gagnerez du temps quand votre énergie sera requise ailleurs.

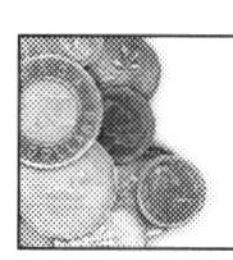

Enfants

Vous pouvez également suggérer aux gens qui le désirent de se consulter afin d'éviter de vous offrir des cadeaux de même nature. Vous pourriez même leur proposer de se mettre ensemble pour offrir un meuble ou une poussette. Informez-vous auprès d'eux et de vos autres connaissances afin de savoir s'ils n'ont pas des meubles ou des jouets inutilisés. Sinon, surveillez les tableaux d'affichage dans les pharmacies et les supermarchés. Vous y trouverez sans doute des annonces placées par des gens qui désirent se débarrasser d'objets dont leurs enfants ne se servent plus.

Fenêtres vinaigrées

On n'a pas toujours besoin de produits chers pour vivre dans une maison propre. Souvent, les meilleurs outils sont ceux que l'on possède déjà pour d'autres usages. Par exemple, pour nettoyer des vitres graisseuses, on effectue un premier lavage à l'eau savonneuse (un peu de savon à vaisselle dilué dans de l'eau). Puis, on nettoie à l'aide d'un chiffon doux et d'une solution composée de 45 ml de vinaigre pour un litre d'eau chaude. Pour essuyer, le papier journal accomplit un travail impeccable.

Des recettes pour traiter le bois, le tissu et le cuir

Pour nettoyer des meubles de bois non cirés, une solution économique consiste à utiliser une solution composée de 5 ml d'huile de citron (ou 250 ml de jus de citron) dissoute dans un litre d'huile minérale ou végétale. On applique le tout avec un chiffon doux et on frotte jusqu'à ce que la surface soit sèche. Quant aux meubles de bois cirés, il faut faire fondre dans un bain-marie 60 ml de paraffine avec une quantité égale de vinaigre. On y laisse tremper un linge propre pendant 30 minutes, puis on l'essore avant de frotter. Enfin, le bois verni se traite efficacement et économiquement avec un chiffon imbibé de thé froid. Une pierre ponce liquide permettra, elle, d'éliminer la plupart des taches.

Une simple eau savonneuse suffit à l'entretien des meubles de cuir. Notez que tous les produits gras – comme les cires – de même que les produits nettoyants forts peuvent endommager le cuir au lieu de le protéger. Ils sont donc à proscrire. On doit plutôt passer un chiffon humide sur les meubles de cuir une fois par semaine en utilisant de l'eau distillée pour éviter la formation de cernes. On peut également y ajouter un savon doux, comme du savon à vaisselle. Il faut aussi savoir que les meubles de cuir se détériorent plus rapidement s'ils sont exposés au soleil ou placés près d'une source de chaleur. De leur côté, les meubles en tissu seront débarrassés des poils de toutes sortes à l'aide d'un simple linge humide. Pour ce qui est des taches, il faut agir vite et commencer par le produit le plus doux possible (de l'eau savonneuse, par exemple) ; il faut assécher rapidement. On enlève les matières solides à la cuillère tandis que les liquides nécessiteront l'aide d'un essuie-tout. Pour absorber le surplus, on applique de la fécule de maïs, que l'on enlève quelques minutes après avec un aspirateur.

Brillant comme un sou neuf et pour quelques sous

Pour faire briller l'acier inoxydable, frottez-le avec une pâte composée de bicarbonate de sodium et d'eau. Pour les taches que laissent les gouttes d'eau en séchant, utilisez de l'alcool à friction. Enfin, les taches de rouille disparaîtront sous l'effet de l'essence à briquet.

Si des dépôts de calcaire s'accumulent sur des robinets chromés, frottez-les vigoureusement avec un demi-citron pour les faire disparaître. S'il s'agit de robinets plaqués or, essuyez-les avec un chiffon à peine mouillé après chaque utilisation. Ne les frottez pas et n'utilisez jamais un produit pour le métal. Cela les endommagerait.

Les planchers à carreaux de céramique, eux, se nettoient avec un gallon d'eau auquel on ajoute 50 ml de vinaigre. Ce mélange éliminera facilement la saleté sans frottage et ne laissera aucune pellicule savonneuse. En plus d'être moins coûteuse que les produits de nettoyage, cette solution est sans danger pour l'environnement.

Enfin, pour nettoyer un comptoir de cuisine taché par du jus de raisin, il ne faut pas utiliser un produit abrasif. Recourez plutôt à de la pâte dentifrice, qui donne des résultats étonnants.

Des articles propres, un bénéfice net

Les articles en aluminium s'entretiennent bien avec du jus de citron que l'on rince ensuite à l'eau chaude. S'ils sont très sales, on peut les laisser tremper toute une nuit dans de l'eau additionnée de vinaigre. On nettoie les casseroles et poêlons à revêtement antiadhésif en les remplissant d'eau savonneuse que l'on amène à ébullition. On laisse mijoter quelques minutes et on laisse reposer avant de frotter légèrement.

Pour nettoyer des articles en laiton, il faut mêler du sel et de la farine en quantités égales. On y ajoute ensuite du vinaigre pour composer une pâte. On l'applique sur les objets et on astique ceux-ci avec un linge humide. On peut aussi frotter le laiton avec une tranche de citron.

Le cuivre, lui, peut être nettoyé avec du jus de citron et du sel ou avec un mélange de vinaigre chaud, de farine et de sel (en parts égales). On frotte l'objet avec cette solution et on le lave à l'eau chaude avant de le rincer.

Pour les articles en acier inoxydable ou en argent, il faut recourir à un mélange d'un litre d'eau chaude additionnée de cinq millilitres de bicarbonate de sodium et de cinq millilitres de sel. On laisse tremper les articles jusqu'à ce que la ternissure soit disparue. Puis, on nettoie les surfaces en relief avec une vieille brosse à dents. On les rince ensuite à l'eau claire et on les sèche rapidement avec un chiffon afin que l'eau ne laisse pas de traces.

Essence

Conduire en économisant des sous

Respectez toujours les limites de vitesse, principalement sur les autoroutes. Plus vous roulez vite, plus vous consommez d'essence pour lutter contre la résistance accrue de l'air. En chiffres concrets, cela signifie que si vous roulez à 120 km/h au lieu de 90, votre consommation augmente de 20 %. Pour une voiture dont la capacité du réservoir est de 65 litres, vous économisez donc 10,40 $ chaque fois que vous faites le plein (quand le prix de l'essence est de 80 ¢ le litre). Au rythme d'un plein par semaine, vous épargnez 540,80 $ par année. Enfin, évitez les démarrages brusques. Vous consommerez environ 50 % plus d'essence en démarrant sur les chapeaux de roues que si vous démarrez doucement et accélérez progressivement.

Le saviez-vous? Sur l'autoroute, rouler avec les glaces baissées réduit l'aérodynamisme du véhicule et augmente sa consommation d'essence. De même, un porte-bagages de toit non utilisé cause, lui aussi, une résistance. Il peut ainsi accroître la consommation d'essence de 1 %.

Garder sa voiture en bon état

Maintenez le moteur de votre véhicule en bon état. Un moteur qui n'est pas au point peut accroître la consommation de carburant jusqu'à 50 %. Il faut également maintenir la pression d'air des pneus recommandée par le fabricant dans le guide qui accompagne généralement le véhicule. Un seul pneu dans lequel il manque un kilo de pression d'air augmentera la consommation d'essence de 1 %.

Essence

Quelques bonnes habitudes

Contrairement à la croyance populaire, il n'est pas nécessaire de laisser tourner son moteur au ralenti pendant de longues minutes par temps froid afin qu'il se réchauffe. Une trentaine de secondes suffiront. En été, un moteur tournant au ralenti durant dix secondes consomme plus de carburant que quand on le redémarre. Toutefois, il est exact qu'un moteur chaud consomme moins d'essence au moment du démarrage s'il fait très froid. Donc, pourquoi ne pas vous munir d'un chauffe-moteur? Vous n'avez pas à le laisser fonctionner toute la nuit. Il suffit de le brancher deux heures avant le départ. Son coût en consommation d'électricité n'est que de 4 ¢ l'heure.

Vous croyez que donner un petit coup d'accélérateur avant d'éteindre le moteur a pour effet de le nettoyer? C'est faux. Plusieurs ont cette fâcheuse habitude qui gaspille l'essence, laisse du carburant sur les parois des cylindres et élimine ainsi la pellicule d'huile protectrice. Conséquence: ils accélèrent l'usure de leur moteur.

Voici un autre conseil: au moment de faire le plein, inutile de remplir le réservoir à ras bord. Si vous le faites, l'expansion naturelle du carburant produira un déversement et une perte.

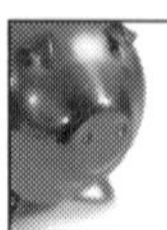

Hypothèque

Négocier son hypothèque

Une hypothèque, ça se négocie. C'est particulièrement vrai dans le contexte actuel, où les institutions financières ont beaucoup d'argent à prêter. Elles recherchent donc des emprunteurs et sont prêtes à certains compromis pour traiter avec eux. En chiffres, comment cela se traduit-il ? Une réduction de 0,5 % à 0,7 % du taux officiel peut vous être accordée. Tant qu'à y être, faites payer par cette institution les frais d'ouverture du dossier, les frais de fermeture à votre ancienne banque, la réévaluation de la propriété, etc. Enfin, soyez prudent et lisez attentivement le contrat qu'on vous propose. Il pourrait contenir certaines clauses contraignantes. Si vous vous en apercevez, peut-être pourrez-vous aussi les négocier…

Long terme ou court terme ?

Plusieurs experts recommandent d'opter pour une hypothèque à court terme si vous avez les reins solides financièrement. Leur raisonnement est simple : l'emprunteur obtiendra pendant la durée de vie de son hypothèque un taux moyen plus bas que celui qui choisit de la renouveler toutes les trois ou cinq années. Pourquoi ? Parce que, entre le court terme et le terme de cinq ans, on note toujours un écart d'environ deux points de pourcentage. Cela dit, si votre budget est plus serré, il est préférable de jouer prudemment et d'opter pour le long terme. Si l'on gèle ainsi l'hypothèque pour une longue période, on se protège des soubresauts des taux d'intérêt qui feraient augmenter vos versements de 10 % ou 20 %.

Hypothèque

Une hypothèque plus courte et des paiements plus fréquents

La règle est simple: plus on rembourse rapidement, moins on paye d'intérêt; plus la période durant laquelle on paye est longue, plus ça coûte cher. Une hypothèque sur 20 ans plutôt que sur 25 ans peut faire épargner beaucoup de sous. Autre conseil: demandez à faire des versements hebdomadaires ou aux deux semaines plutôt que des versements mensuels; cela vous permettra de réduire le nombre d'années, et donc d'économiser.

Impôts

De l'aide pour la saison des impôts

Tout le monde ne dispose pas du temps nécessaire pour la corvée printanière que représentent les déclarations de revenus. D'autres n'ont simplement pas le goût de se lancer dans les calculs. Enfin, plusieurs n'ont pas les moyens de se payer les services d'un comptable ou d'une entreprise spécialisée. Pour tous ces gens, il existe de nombreuses cliniques d'impôts où l'on peut faire remplir ses déclarations fiscales gratuitement ou pour quelques dollars.

Principalement destinées aux personnes à faibles revenus, ces cliniques sont organisées par des groupes communautaires, des coopératives ou des CLSC. Les gens qui y œuvrent ont été formés par Revenu Canada. Les facultés et départements d'administration des collèges et des universités proposent également ce genre de cliniques, tenues, dans ce cas-ci, par des étudiants en fiscalité ou en comptabilité.

Prenez d'abord rendez-vous, puis, au moment de vous rendre sur place, assurez-vous d'apporter tous les papiers requis (les formulaires des gouvernements provincial et fédéral, les relevés d'emploi et de revenus, les reçus pour les biens et services à déduire, etc.).

À certains endroits, on remplira les formulaires avec vous. Ailleurs, vous n'aurez qu'à déposer vos documents, et l'on vous demandera de revenir en prendre possession moins d'une semaine plus tard.

Loisirs

Acquérir des connaissances à petit prix

Suivre des cours pour se recycler, se perfectionner ou simplement pour son plaisir personnel constitue une activité stimulante. Cependant, les frais exigés dressent parfois un sérieux obstacle au désir d'apprendre. Heureusement, il existe une foule de ressources permettant de s'enrichir intellectuellement sans s'appauvrir financièrement.

Par exemple, les services des loisirs ou de la culture de la plupart des municipalités québécoises offrent aux enfants et aux adultes des cours et des activités culturelles à des prix minimes : langues étrangères, informatique, bricolage, dessin, photographie, peinture, musique, Internet, etc. La quantité et la variété des cours proposés aura probablement de quoi vous satisfaire. Quant aux bibliothèques municipales, elles proposent un grand nombre d'événements enrichissants, comme des conférences, qui contribueront à accroître votre bagage de connaissances sans défoncer votre budget.

Les groupes communautaires ou encore les ressources comme le YMCA et le YWCA proposent eux aussi une brochette d'activités agréables, instructives et peu coûteuses. Dans ce cas-ci, il peut s'agir aussi bien d'activités intellectuelles que de sports ou de loisirs.

Certains organismes gouvernementaux offrent de nombreux cours gratuits, notamment à l'intention des gens à la recherche d'un emploi. Ces derniers peuvent ainsi améliorer leurs chances de décrocher un travail qui leur plaira. Votre centre local d'emploi pourra vous donner toutes les indications concernant les cours qui existent dans votre secteur.

Choisir l'heure, le jour ou le lieu

Côté cinéma, on peut économiser si l'on transforme sa sortie de soirée en sortie de matinée, lorsque le prix d'entrée est presque réduit de moitié. Cela comporte un autre avantage : on va se restaurer après le film plutôt qu'avant. Et on a plus de temps pour savourer son repas. La peinture vous intéresse plus que le grand écran ? Sachez que la plupart des musées proposent chaque semaine une journée où l'entrée est gratuite. Par ailleurs, de nombreuses expositions de toiles, d'affiches ou de photos sont aussi présentées dans les bibliothèques municipales et les maisons de la culture. En outre, ces organismes offrent fréquemment des spectacles auxquels vous pouvez assister gratuitement si vous fournissez une preuve de résidence quand vous réservez vos billets.

Rabais

Savoir lire les circulaires

Vous croyez que les produits annoncés dans les circulaires sont toujours en solde ? Méfiez-vous ! Plusieurs d'entre eux ne sont qu'annoncés. Et le prix indiqué est le prix... habituel. Pour débusquer les vraies économies, il faut donc connaître ce dernier. Et être très vigilant. En général, les « spéciaux » annoncés à la première et à la dernière page des circulaires permettent de faire des économies appréciables. Ce sont ordinairement ce qu'on appelle des « lost leaders », soit des produits courants vendus au prix coûtant. On s'en sert afin d'attirer le consommateur à l'intérieur du commerce.

Que penser des coupons-rabais que l'on trouve notamment dans les circulaires ? Ils peuvent procurer d'intéressantes économies, à condition qu'on évite de les employer afin d'acheter des denrées inutiles. Ne découpez que ceux qui vous permettront d'acquérir des produits dont vous avez besoin ou que vous êtes certain d'utiliser.

Insister pour profiter des rabais

Vous avez été attiré dans une épicerie par un produit annoncé à rabais dans une circulaire ? Si l'on ne peut vous offrir ce produit, on doit soit vous fournir un bon d'achat différé (il vous permettra d'obtenir plus tard le même produit au prix de solde), soit vous proposer, au même prix que le produit en solde, un article de valeur égale ou supérieure. Faites valoir vos droits.

Rabais

Pour trouver les vrais rabais

Selon un sondage de la maison de recherche Crop réalisé pour le compte d'Option consommateurs, 67 % des consommateurs ont l'impression que les étiquettes rouges sont synonymes de rabais. Attention ! Ce n'est pas toujours le cas. Une enquête réalisée par le même groupe a permis de constater que des étiquettes sont parfois apposées sur des produits qui ne sont pas en solde ou dont le prix n'est que très légèrement réduit.

Ceux qui désirent profiter des meilleurs rabais dans les supermarchés doivent s'armer de patience. Il arrive que des produits semblables soient placés côte à côte. Le premier est en solde, mais il n'y en a qu'une petite quantité ; le second est vendu au prix courant, mais il y en a beaucoup. Voilà qui est mêlant pour le consommateur. Pour vous y retrouver, une solution consiste à calculer le prix au poids. Autre problème : on trouve souvent, au bout des allées, des produits en promotion dans les circulaires, mais d'un autre format que le produit en solde. De même, certains produits empilés dans les allées sont en solde alors que d'autres ne le sont pas.

Problèmes de lecture, problèmes de facture

Les lecteurs optiques qui se trouvent aux caisses n'enregistrent pas toujours le prix réduit. En conséquence, il arrive que, même si l'étiquette du produit acheté indique un rabais, l'acheteur paye le prix habituel s'il ne prend pas le temps de vérifier sa facture.

On peut constater ce triste fait à la lumière d'une étude menée par Option consommateurs durant l'été de 1997. L'enquêteur y avait acheté 25 produits (10 offerts au prix courant et 15 annoncés comme étant en solde) dans trois succursales de cinq grandes chaînes de commerce au détail. Résultat: on trouvait des erreurs de prix dans tous les magasins. Les meilleurs ne faisaient d'erreurs que 2 fois sur 25, alors que les plus « distraits» se trompaient 20 fois sur 25. En chiffres absolus, cela signifiait des sommes payées en trop variant de 61 ¢ jusqu'à 12,30 $. Pour la totalité des magasins visités, ces sommes payées en trop atteignaient 29,53 $. À moins d'aimer gaspiller ses sous, cela constitue une excellente raison de prendre quelques secondes pour vérifier ses factures, particulièrement au moment de l'achat de biens soi-disant vendus à rabais.

Faire baisser les prix en négociant

Bien que la négociation des prix ne fasse pas partie de la culture de consommation au Québec, sachez qu'il est possible de marchander à certains endroits. Par exemple, des commerces de vêtements et de chaussures pour toute la famille vont accepter de négocier leurs prix, surtout si vous y habillez plusieurs personnes simultanément. De même, les détaillants offrant de l'équipement électronique, même ceux des grandes chaînes, peuvent vous consentir des rabais à votre demande.

Rabais

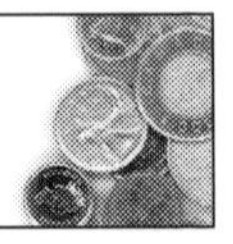

Dans l'alimentation, certains restaurateurs proposent des réductions et même un repas gratuit à quelqu'un qui réservera pour un groupe supérieur à dix personnes. Quelques-uns refuseront tout compromis sur les prix, mais offriront une valeur ajoutée au repas, comme une soupe gratuite.

Enfin, il existe de nombreuses politiques non écrites qu'acceptent certains marchands. Par exemple, des garagistes réduiront votre facture si vous leur envoyez des amis et que vous pouvez le leur prouver. La marchandise légèrement abîmée ou présentant une imperfection peut aussi être négociée de votre part. Bien entendu, si vous êtes fidèle à un commerce et que le personnel vous connaît bien, sachez utiliser cet aspect à votre avantage. Et si vous êtes étudiant, sortez votre carte, car certains marchands offrent des rabais allant jusqu'à 20 % à leur jeune clientèle.

Réceptions

Un repas collectif, pourquoi pas ?

Recevoir en assumant seul tous les frais est au-dessus de vos moyens ? Pourquoi ne pas organiser un repas où chaque convive sera mis à contribution ? Après avoir dressé la liste des invités, décidez du menu. Puis distribuez les tâches selon les ressources financières et le temps dont dispose chacun. À celui dont le porte-monnaie est un peu mince, attribuez la responsabilité d'apporter le pain ; à un autre qui dispose de temps, celle de confectionner un dessert. Pour les aliments plus chers, comme les fromages, plusieurs invités peuvent se mettre ensemble afin d'en partager les frais. Selon les moyens et les talents culinaires de chacun, vous composerez ainsi un repas intéressant, qui permettra à vos convives de goûter à des plats qu'ils n'ont peut-être pas l'occasion ou le talent de préparer.

Demander un prix d'entrée

Une autre solution consiste à recevoir mais à répartir les frais entre les convives, avec leur approbation bien entendu. Il vous incombe alors de faire les courses et de préparer le repas (certains invités peuvent par ailleurs vous aider), mais les boissons peuvent être apportées par les participants. Après avoir évalué le coût du repas, vous consultez les convives pour vérifier si tout le monde est d'accord sur le montant à fournir.

Du vin en vrac

Un bon repas, ça s'arrose. Pour faire des économies, achetez votre vin au comptoir Vin en vrac de la Société des alcools du Québec. Pour une somme allant de 48 $ à 99 $, vous pourrez y remplir 12 bouteilles. Un ensemble de départ est disponible au coût de 8,95 $. En général, les consommateurs ont le choix entre 10 ou 12 sortes de vin. Entre deux rouges, votre cœur balance? Vous pourrez y goûter afin de mieux choisir. Pour informations composez le (514) 873-9501.

Décorer sans se ruiner

Pour habiller vos murs ou remplacer vos éternelles affiches, pourquoi ne pas y accrocher une peinture? Et pourquoi alors ne pas passer par l'Artothèque? Pour des périodes variant de trois à six mois, on peut y louer une ou plusieurs œuvres d'art. Le coût? De 1,50 $ à moins d'une trentaine de dollars par mois. À cette somme, il faut ajouter des frais annuels d'adhésion de 10 $. L'Artothèque regroupe environ 2 000 œuvres (natures mortes, art abstrait, etc.), principalement produites par de jeunes artistes québécois. On peut même, à l'issue de la période de location, acheter la toile. Tél.: (514) 278-8181.

Recevoir aux fêtes sans grever son budget

Une soirée de Noël ou du jour de l'An peut être parfaitement réussie sans que vous deviez y investir des sommes astronomiques. Sachez d'abord que tout se loue: vaisselle, chaises, décorations, verres, nappe, table, etc. On peut également engager un traiteur, un serveur ou un barman si l'on ne désire pas s'occuper du repas ou de l'alcool.

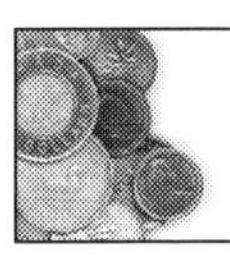

Réceptions

Puisque les cocktails, le vin et la bière représentent à eux seuls des dépenses importantes, vous pouvez demander à vos invités d'apporter leurs consommations ou encore leur demander de payer pour chaque verre, histoire de partager les coûts. En plus, cela modérera peut-être la consommation de certains qui pourraient abuser s'ils n'avaient pas à payer. L'esprit de la fête n'en restera que plus longtemps agréable.

Pour éviter une facture salée de son banquier, il faut pouvoir quantifier ses transactions habituelles : nombre de chèques émis chaque mois, paiements de factures, retraits, virements de fonds, débits préautorisés, utilisation du guichet automatique, recours au service au comptoir, transactions par Internet, etc. Si l'on ne peut conserver au moins 1000 $ dans son compte (cela permet souvent de ne pas payer de frais bancaires), il est préférable de réduire le plus possible le nombre de transactions bancaires.

Ces dernières années, les institutions financières ont mis sur pied divers forfaits adaptés aux différents profils de clients. Les consommateurs qui effectuent plusieurs transactions ont souvent intérêt à s'y inscrire. Certains permettent, par exemple, de faire dix transactions mensuelles au comptoir ou au guichet pour une somme minime. D'autres donnent droit à une quantité illimitée de virements de fonds ou, encore, à un certain nombre de transactions par le service de paiement à distance Interac. Munissez-vous donc de votre calculatrice puis, à l'aide de vos livrets ou de vos relevés mensuels, déterminez quel forfait convient le mieux à votre comportement bancaire. En agissant ainsi, vous pourriez réaliser des économies de plus de 50 %. Cependant, il faut savoir que plusieurs opérations ne sont pas incluses dans ces forfaits.

Utiliser intelligemment le guichet

Quand vous déposez votre chèque de paye, retirez suffisamment d'argent pour ne pas devoir en retirer de nouveau avant le prochain dépôt. Car si vous multipliez les transactions, on vous imposera chaque fois des frais. Si vous devez effectuer un retrait par guichet automatique, utilisez un appareil de votre institution financière. Autrement, des frais spéciaux vous seront imputés en plus des frais habituels de retrait. Enfin, évitez de faire des transactions dans des guichets privés ; leur utilisation coûte plus cher que celle des guichets des institutions financières. Notez qu'en ce qui concerne les paiements de facture, les règlements par la poste sont déconseillés ; ils coûtent près de 1 $, en plus du prix du timbre et de l'enveloppe.

Garder 1000 $ dans son compte, mais pas plus

Idéalement, il faudrait conserver au moins 1000 $ dans votre compte, car plusieurs institutions imposent des frais s'il contient moins que cette somme. Toutefois, si vos économies sont plus importantes, ne les laissez pas dans votre compte ; les taux d'intérêt offerts étant généralement très bas, cela créerait un manque à gagner. Investissez plutôt votre argent dans des produits financiers qui correspondent à votre profil d'épargnant et à vos besoins.

Carte de débit : gare aux erreurs

Si une erreur survient après que vous avez payé un commerçant avec votre carte de débit, retournez aussitôt chez ce marchand avec preuves à l'appui. Dans la majorité des cas, il acceptera de vous rembourser sur-le-champ. Dans le cas contraire, il faut vite aviser votre institution financière, qui veillera à résoudre le problème dans un délai raisonnable.

Puisque les relevés de transaction et les factures contiennent des renseignements tels que la date, l'heure, le montant, le nom de l'établissement, l'erreur est ordinairement facile à corriger. Sans relevé ni facture, la situation se complique.

Pour vous protéger, vérifiez toujours le montant affiché avant de donner votre autorisation. Puis, gardez tous vos relevés d'opération, même ceux de transactions annulées. Enfin, conservez toutes vos factures comme preuves d'achat et vérifiez vos comptes et vos livrets bancaires.

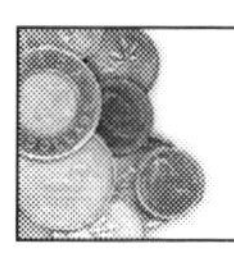

Soins de santé

Alléger ses factures

Les soins de dentiste, d'optométriste et des autres professionnels de la santé coûtent cher. Pourquoi ne pas faire appel à des étudiants ? Ils ont besoin de sujets pour mettre en pratique les connaissances acquises durant leurs études. Les facultés de médecine dentaire, par exemple, offrent au grand public des traitements au tiers du prix exigé dans les cabinets de dentiste. Ces cliniques sont ouvertes durant l'année universitaire, et vous devez avoir un problème assez simple pour être traité par un étudiant mais assez intéressant pour lui fournir un apprentissage utile. Si votre problème ne réclame pas des soins urgents, vous pouvez vous inscrire sur une liste.

Si vous cherchez un psychologue, les universités qui dispensent le cours offrent aussi leurs services à tarif réduit. Les listes d'attente sont parfois longues et on ne traite évidemment pas les cas très lourds, mais pour les petits problèmes individuels et familiaux, c'est une solution pratique et économique. Les soins d'optométrie sont aussi dispensés dans les facultés universitaires où le cours est offert. Par ailleurs, certains cégeps offrent des cours et des traitements d'acupuncture.

Tous ces traitements sont effectués sous la surveillance d'un professeur, et les étudiants et institutions d'enseignement sont pourvus d'assurances au cas où un incident malheureux surviendrait. Pour de l'information, communiquez avec l'ordre professionnel concerné.

Soins de santé

Opter pour les médicaments génériques

Les médicaments génériques sont des copies de médicaments originaux. Ils y sont donc presque identiques. Ils sont aussi efficaces et ils ont les mêmes effets secondaires. La seule différence est que, dans certains cas, ils mettent un peu plus de temps à agir. En fait, la différence véritable réside surtout dans le prix. Celui des médicaments génériques peut être jusqu'à 45 % moins élevé que celui des médicaments originaux. Si cela est possible, il vaut donc la peine de demander des médicaments génériques. Pour information, adressez-vous à votre pharmacien.

Soins d'esthétisme

Coupe de cheveux ou facial bon marché

Pour une coupe de cheveux, une mise en plis ou des soins esthétiques peu chers, adressez-vous à une école secondaire où l'on offre des cours techniques. Les étudiants doivent s'entraîner et c'est grâce à vous qu'ils le feront. Les séances risquent d'être un peu plus longues que chez un professionnel. Mais le prix est minime (de 3 $ à 10 $ pour une coupe de cheveux, environ 15 $ pour un facial). Pour obtenir des renseignements, feuilletez les pages jaunes de votre annuaire à la section « écoles de coiffure » ou « écoles d'esthétique ». Certains salons de coiffure offrent aussi des rabais considérables si vous prenez un rendez-vous le soir et acceptez que ce soit un apprenti qui s'occupe de vous.

Fabriquer ses produits de beauté

Des ingrédients très simples, souvent utilisés dans la vie de tous les jours, ont peut-être une vocation que vous ne leur soupçonnez pas. Un avocat, du miel, un peu de jus de citron et d'orange et de l'huile d'amande feront un masque de beauté très efficace sur une peau qui a souffert du vent et du froid. Pour soulager la peau sèche, des fraises écrasées mélangées à un peu d'huile d'amande font merveille. Les peaux grasses, elles, seront adéquatement nettoyées avec de l'eau dans laquelle auront bouilli des concombres. Vous pouvez aussi appliquer une fine couche de gelée de pétrole (vaseline) sur tout le visage. Laissez pénétrer pendant 15 minutes, puis épongez avec une débarbouillette. Votre peau sera gonflée et elle aura plus d'éclat. Par contre, si vous désirez vous fabriquer un masque, vous n'aurez qu'à appliquer des tranches de concombre râpé sur votre figure et garder le tout pendant 15 minutes, avant de rincer à l'eau claire et froide. Vous pouvez aussi recourir à un masque fait de blancs d'œufs, qui resserrera les pores de votre peau.

Pour résoudre un problème d'yeux enflés ou bouffis, appliquez des feuilles de chou bouilli et tièdes sur chaque paupière et laissez-les pendant une dizaine de minutes. Par contre, si vos yeux sont gonflés par les larmes ou par un manque de sommeil, enroulez quelques cubes de glace dans une débarbouillette et placez le tout sur vos yeux une minute à la fois.

On trouve facilement dans les librairies et certains magasins de produits naturels des livres de recettes pour fabriquer les produits de beauté qui font des petits bonheurs à peu de frais.

Quelques trucs pour soigner ses cheveux

Si vos cheveux ont tendance à être gras, portez à ébullition un litre d'eau à laquelle vous ajouterez quatre cuillères à thé de feuilles de menthe. Laissez refroidir le tout. Après le shampooing, rincez vos cheveux avec cette solution.

D'autre part, si vos cheveux sont sales et que vous ne disposez pas du temps nécessaire pour les laver, mettez-y de la poudre pour bébé, frictionnez-les et brossez-les. Vous aurez là un shampooing sec qui vous dépannera quand vous serez pressé.

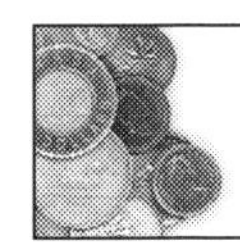

Soins d'esthétisme

Gare aux pièges

Avant de vous lancer dans des dépenses pour vous procurer des produits de soins esthétiques, il faut, bien entendu, déterminer vos besoins et respecter le budget que vous vous serez fixé au départ. Il faut surtout se méfier de certains types de promotions ou d'outils destinés à vous faire consommer plus que nécessaire. Par exemple, les échantillons ne doivent jamais vous convaincre d'acheter, sous l'impulsion du moment, un produit dont vous n'avez pas réellement besoin. Quant aux articles de maquillage gratuits que l'on vous propose, vous devez les refuser si cela vous oblige à acheter un ou plusieurs des produits utilisés. On peut aussi vous suggérer d'effectuer vos achats par la poste et de payer plus tard. Cette solution peut s'avérer pratique, sauf si vous achetez plus que nécessaire afin de recevoir la prime offerte. Il faut également savoir qu'il peut y avoir des frais de livraison si votre achat est inférieur à un certain montant.

Pour résister à ces tentations, il existe des solutions. D'abord, magasinez avec quelqu'un qui vous ramènera les deux pieds sur terre quand vous aurez envie de surconsommer. Ensuite, apprenez à différencier les vendeuses des cosméticiennes. Les premières connaissent bien leurs produits, mais ne sont pas des spécialistes. Les autres sont expertes en peau et savent tout des produits qu'elles offrent.

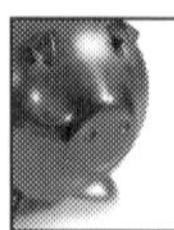

Sports

Choisir des sports qui ne coûtent presque rien

Faire du sport pour pas cher, c'est possible. Par exemple, il ne coûte rien de s'amuser sur les patinoires des parcs ou sur les terrains de baseball, soccer, basketball et autres mis à la disposition des citoyens. Toutefois, si vous désirez l'exclusivité des installations pour en profiter avec un groupe d'amis ou avec la famille, vous devrez vous procurer une autorisation temporaire dont les prix varient selon les municipalités. Notez que les piscines publiques sont gratuites, elles aussi, la plupart du temps.

Équiper les enfants à peu de frais

Votre enfant rêve de faire du ski? Pourquoi ne pas louer un équipement pour une journée, histoire de vérifier son intérêt? Il s'est vraiment beaucoup amusé, et vous aussi? Plutôt que de lui acheter un équipement neuf, tournez-vous vers l'usagé. Dans les magasins où l'on répare de l'équipement sportif, dans les bazars ainsi que dans les ventes de débarras (qu'on appelle populairement ventes de garage), il est possible d'acheter pour une fraction du prix des articles de sport qui ont à peine servi. L'année suivante, vous pourrez à votre tour vendre l'équipement et acheter quelque chose d'un peu plus grand. Une autre solution consiste à procéder à des échanges. Faites appel aux groupes d'échange qui se sont formés un peu partout dans ce but. Consultez vos journaux locaux afin de connaître ceux qui existent près de chez vous.

Sports

Sports d'hiver pour pas cher

L'équipement nécessaire à la pratique des sports d'hiver n'est pas à la portée de tous les budgets, surtout si l'on tient à s'afficher avec les patins dernier cri ou les vêtements de ski branchés sur les dernières tendances de la mode. Toutefois, il demeure possible de bien s'équiper sans sacrifier trop sur la qualité. Ainsi, on peut toujours recourir aux commerces spécialisés (Sports aux puces, Play it Again Sports, La Poubelle du ski, etc.). Non seulement ces commerces vendent de l'équipement usagé en bon état, mais ils offrent aussi des services de location.

À l'achat, on peut ainsi réaliser des économies variant de 50 à 80 % par rapport aux prix du neuf, selon l'état de l'équipement et sa qualité. Le matériel offert a généralement de trois à cinq ans d'usure, parfois plus.

Les stations de ski offrent elles aussi le service de location d'équipement. Toutefois, les coûts y sont plus élevés que dans les commerces. On peut louer à court terme (une journée ou une fin de semaine) ou pour la saison complète. Cette option est particulièrement intéressante pour les parents d'enfants dont il faut changer l'équipement chaque année, croissance oblige. C'est aussi un scénario envisageable pour quiconque désire découvrir un sport sans devoir acheter de l'équipement qui ne servira qu'une fois ou deux.

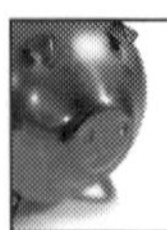

Téléphone

Trois manières de diminuer les dépenses

Le moyen ultime pour réduire (et même éliminer) sa facture d'interurbains est l'utilisation du courrier électronique. Tant qu'à y être, pourquoi ne pas y recourir pour remplacer le courrier traditionnel (on fait ainsi disparaître les coûts du papier, de l'enveloppe et du timbre) ?

Les boîtes téléphoniques constituent une autre dépense à reconsidérer. Plutôt que de payer un montant mensuel (environ 5 $) pour une boîte vocale, procurez-vous un répondeur. Évidemment, vous devrez l'acheter, mais comme l'appareil durera de nombreuses années, cette dépense sera amortie. En fait, le seul désavantage est que les personnes qui vous appellent ne peuvent pas laisser de message quand vous êtes déjà au téléphone. Mais cette situation se produit-elle si fréquemment?

Enfin, il est bon de rappeler que le service d'aide 411 n'est pas gratuit. De fait, à 75 ¢ pour chaque requête, il peut devenir onéreux si on en abuse. On conseille donc de s'en remettre au site Web Canada411 accessible gratuitement à l'adresse http://canada411.sympatico.ca. En octobre 2000, plus de 12 millions d'entrées y étaient inscrites. Sinon, faites marcher vos doigts dans les pages jaunes... ou blanches.

Une seule auto pour plusieurs

Vous avez besoin d'une automobile de temps à autre mais ne voulez pas en acheter ou en louer une ? Vous pouvez recourir à l'entreprise CommunAuto, qui offre des services de partage de voitures jour et nuit pour des utilisations allant d'une demi-heure à plusieurs jours. Le fonctionnement est simple. Vous adhérez en versant un dépôt de 500 $ (que l'on vous rembourse si vous quittez l'association après une année et après avoir envoyé un préavis écrit de trois mois). Vous payez aussi une cotisation annuelle proportionnelle au kilométrage que vous effectuez.

Si vous avez besoin d'un véhicule, vous communiquez avec CommunAuto afin de le réserver. À ce moment, on vous indique l'emplacement du véhicule le plus près de l'endroit où vous vous trouvez (ils sont laissés dans des stationnements publics). Vous allez le chercher et vous le rapportez au même endroit à l'heure convenue. Puis, vous devez indiquer les kilomètres parcourus sur un coupon de bord. Par la suite, vous recevez une facture mensuelle compilant tous vos trajets du mois. Un tarif est imposé à l'heure ou à la journée et selon la distance parcourue. Dans ce dernier cas, c'est vous qui choisissez le forfait qui vous convient le mieux.

CommunAuto assume les frais liés au fonctionnement normal du service : administration, achat et financement des véhicules, achat d'accessoires, immatriculation, assurances, frais de stationnement, entretien routinier, réparations et essence. Pour information, adressez-vous au (514) 842-4545. Notez que le service est aussi offert dans la région de Québec par un organisme du nom d'Auto-Com. Vous pouvez le joindre au (418) 523-1788.

Vive le covoiturage !

Une manière simple d'économiser sur les frais de transport est d'avoir recours au covoiturage. Un compagnon de travail habite près de chez vous ? Un de vos voisins travaille dans le même secteur que vous ? Pourquoi ne pas en profiter pour voyager ensemble ? Si l'un et l'autre vous avez une voiture, vous pouvez vous rendre service à tour de rôle. Ce mode de transport est particulièrement pratique pour les personnes qui ont le même horaire de travail.

Pour vos déplacements lointains, vous pouvez utiliser les services d'Allo-Stop, une entreprise spécialisée dans le covoiturage de longue distance. En étant membre de cette entreprise, vous pouvez prendre des passagers ou vous faire conduire. Dans le premier cas, vous obtiendrez en retour une somme d'argent à peu près équivalente à vos dépenses d'essence. Dans le second, vous ferez un voyage à bas prix. Les frais d'adhésion sont de 6 $ pour les passagers et de 7 $ pour les chauffeurs. Le tarif est ensuite établi selon la distance. Par exemple, le trajet Montréal-Québec (aller simple) coûte une quinzaine de dollars par passager (6 $ vont à Allo-Stop, 9 $ au chauffeur). Pour information, appelez au (514) 985-3032.

Vêtements

Magasiner d'abord dans ses placards

Chaque placard recèle des trésors insoupçonnés. En faisant l'inventaire de tout ce que l'on a, on découvre souvent des merveilles oubliées. Avec de l'imagination, plusieurs vêtements peuvent connaître une nouvelle vie. Une robe qui vous paraît terne peut renaître si vous la teignez d'une jolie couleur, si vous y ajoutez des poches ou un nouveau col. On peut aussi rafraîchir ses vêtements en les accompagnant de nouveaux accessoires, foulards ou ceintures, appliqués, clips et autres colifichets. Les chaussures défraîchies retrouveront une seconde jeunesse si on les apporte chez un bon cordonnier qui pourra les réparer et même les teindre.

Procéder à des échanges

Vous avez inventorié votre garde-robe et avez mis de côté les vêtements que vous ne portez plus ? Pourquoi ne pas réunir quelques amis qui auront procédé au même exercice ? Chacun apporte les choses dont il n'a plus envie et on peut alors faire des échanges très intéressants sans qu'il en coûte un sou. Établir cette coutume avec son entourage et la répéter aux changements de saison peut devenir une source de plaisir et d'économie.

Enceinte, ne pas se lancer dans les dépenses

Il est possible de vivre une grossesse sans trop dépenser pour les vêtements de maternité. Plutôt que d'acheter des pantalons dans des boutiques spécialisées, vous pouvez défaire les coutures des côtés de ceux que vous avez déjà et y coudre une pointe de tissu extensible.

Quand vous retrouverez votre taille, vous n'aurez qu'à enlever les pièces ajoutées et à refaire les coutures précédentes. Vous pouvez également emprunter à vos amies les grands chandails qu'elles ne portent pas souvent. En échange, prêtez-leur les vêtements que vous devez mettre de côté pour quelques mois.

Au moment de l'achat, lire les étiquettes

Quand vous achetez un vêtement, il est important de bien lire l'étiquette afin de connaître les indications du fabricant pour le nettoyage. Les tissus qui requièrent un nettoyage à sec vous coûteront, à la longue, beaucoup de sous. Une jolie chemise que vous achetez pour aller au travail et que vous devez porter chez le nettoyeur deux ou trois fois par mois vaut-elle vraiment l'investissement? Il est toujours plus économique d'acheter des vêtements lavables à la machine ou à la main si vous les portez fréquemment.

Économie et entretien

Si vous possédez laveuse et sécheuse à la maison, c'est bien sûr la solution idéale. Sinon, plusieurs articles peuvent être simplement lavés à la main, comme les sous-vêtements et les chaussettes. Le mieux est de les mettre à sécher dans la salle de bain, sur un séchoir pliable. Les chandails de laine doivent être lavés à l'eau tiède et exigent un séchage à plat. Lavez-les à l'envers, ils feront moins de petites mousses et conserveront ainsi leur belle apparence plus longtemps. Si vous allez dans un endroit enfumé, il n'est pas nécessaire de faire nettoyer chaque fois le vêtement imprégné de l'odeur de cigarette, il suffit de le suspendre à l'extérieur quelques heures et il n'y paraîtra plus.

Vêtements

Pour certains articles, vous allez nécessairement à la laverie ? Apporter son savon à lessive, son eau de Javel et son adoucisseur de tissu est beaucoup plus économique que de tout acheter sur place. Si vous possédez une corde à linge, pourquoi payer pour faire sécher ? D'avril à octobre (parfois même plus tôt et plus tard, selon le temps et le mercure), des vêtements installés sur une corde à linge le matin seront secs quelques heures plus tard. On réduit ainsi sa facture d'électricité en n'utilisant pas l'énergivore sécheuse.

Autre conseil : avant l'entreposage de fin de saison, assurez-vous que tous les vêtements sont propres et sans taches, sinon celles-ci seront incrustées et difficiles à faire disparaître après plusieurs mois. Rangez bien les vêtements sur des cintres ou pliés dans les tiroirs, vous les conserverez en meilleur état et vous épargnerez en frais de nettoyage et temps de repassage.

Acheter usagé

Depuis quelques années, les friperies se sont multipliées. Certaines se spécialisent dans le genre « militaire » ; ce sont les surplus d'armée. On y trouve souvent de bons équipements de camping, des bottes de marche et autres articles pour les activités extérieures. D'autres boutiques vendent, à des prix ridicules, des vêtements de grands couturiers, dégriffés, des robes de soirée et autres fripes chics. Les magasins où l'on trouve des vêtements des années 50 à 70 font fureur chez les jeunes. Plusieurs œuvres de bienfaisance font aussi office de friperies. L'Armée du salut et la Société Saint-Vincent de Paul en sont des exemples. Notez que dans les magasins situés près des quartiers chics, les vêtements sont généralement de meilleure qualité.

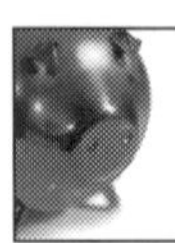

Vêtements

Pour y trouver son compte, il faut fréquenter assidûment les friperies, car les arrivages sont irréguliers et diversifiés. Si vous achetez un vêtement même à très bas prix, vérifiez s'il est propre et s'il vous fait bien. Il ne serait pas très économique de devoir l'apporter chez le nettoyeur ou la couturière. Par ailleurs, les chaussures usagées ne constituent pas vraiment de bons achats, surtout pour les enfants. Chaque personne a une façon de marcher très personnelle et les pieds des enfants peuvent facilement être déformés par une chaussure mal adaptée.

Visiter les manufacturiers

Les manufactures ouvrent leurs portes au grand public depuis plusieurs années. À Montréal, la plupart d'entre elles sont situées dans la rue Chabanel, à l'ouest du boulevard Saint-Laurent, dans sa partie nord, près de l'autoroute métropolitaine, aux numéros s'échelonnant de 99 à 955. Leurs heures d'ouverture étant très variables, il est prudent de s'informer avant de s'y présenter. En général, on peut faire des économies allant jusqu'à 50 % du prix demandé dans les boutiques. Apportez une bonne somme d'argent, car on n'y accepte ni chèque ni carte de crédit. Par ailleurs, il faut bien examiner ce que l'on s'apprête à acheter et s'astreindre à l'essayage ; chez les manufacturiers, on ne fait aucun échange. Si vous vous procurez plusieurs articles, il est possible de marchander, les prix n'étant pas marqués habituellement. Notez que le choix est plus grand aux changements de saison.

Voyages

Voyager sans se ruiner

Certaines agences de voyages proposent des tarifs de 10 % à 50 % moins élevés que les prix habituels. Toutefois, les destinations offertes à tarif réduit ne sont connues qu'à la dernière minute, jamais plus de sept jours d'avance. Dans certains cas, il faut être membre pour bénéficier des rabais.

Certains transporteurs, quant à eux, offrent des bas prix à ceux qui achètent leurs billets sept jours à l'avance, pour les longues distances, et cinq jours à l'avance pour les trajets plus courts. Par exemple, en basse saison, le transporteur ferroviaire Via réduit jusqu'à 40 % ses tarifs pour les billets achetés dans de telles conditions. Pour les voyages en autobus, on peut également épargner si l'on achète simultanément le billet d'aller et celui du retour et si les deux trajets sont effectués dans une période inférieure à dix journées. Attention ! Le nombre de sièges offerts à bas prix est généralement limité.

Il est aussi important de se renseigner sur les politiques tarifaires de l'entreprise choisie. La plupart offrent des prix plus bas aux étudiants, aux personnes âgées ou aux enfants. Des économies peuvent aussi être réalisées en fonction de la période durant laquelle vous voyagez. Ainsi, les tarifs sont inférieurs pendant les saisons dites « basses ». Ceux qui réservent tôt peuvent aussi profiter de rabais offerts par plusieurs chaînes d'hôtels ou par des voyagistes.

Voyages

De bons prix sur la toile

L'utilisation du Web s'avère une autre façon de voyager économiquement. Par exemple, le site Voyageplus.net comporte une section consacrée aux offres spéciales. On y trouve aussi une liste de propriétaires qui louent des logements partout dans le monde pour les touristes qui recherchent confort et intimité.

Le site Smilin' Jack's, conçu par un pilote de la TWA, offre un répertoire et des liens vers des sites où l'on peut trouver des vols à rabais.

De son côté, le site Lycos Travel propose une liste de villes à partir desquelles vous pouvez obtenir les meilleurs prix pour les grandes villes américaines et les principales destinations internationales.

FareTracker, lui, est un agent virtuel à qui vous indiquez vos points de départ et d'arrivée. À son tour, il vous enverra, en guise de réponse, un courriel hebdomadaire qui vous fournira les meilleurs prix disponibles parmi 80 millions d'offres recensées.

Enfin, le service CyberAubaines, d'Air Canada, propose un courriel hebdomadaire dans lequel on vous présente tous les vols à rabais offerts par le transporteur aérien.

Devenir échangiste !

Si les dépenses inhérentes à l'hébergement à l'hôtel vous font peur, vous pourriez y remédier en échangeant votre maison contre une autre située dans la région où vous voulez séjourner. Des services tels que Intervac Canada et World-Home Holiday Exchange favorisent ce genre d'échanges. Moyennant des frais annuels d'une centaine de dollars, on publie une photo de votre résidence dans un catalogue ainsi qu'un petit texte où l'on mentionne les dates de disponibilité et ce que vous recherchez en retour. Ce service ne s'adresse pas qu'aux propriétaires d'une maison, car on peut également y offrir son logement ou un chalet.

Il est aussi possible de recourir à ce principe en passant par Internet, où des réseaux comme Antre-Amis, HomeExchange et le Réseau international d'échange de foyers sont présents. Il est préférable de s'y prendre au moins six mois à l'avance pour maximiser ses chances de succès.

Confort à petit prix

Si vous voyagez au Québec, sachez qu'il existe environ 1 500 gîtes touristiques ou chambres d'hôtes. Pour les connaître, vous pouvez consulter le *Guide des gîtes du passant du Québec*, qui les répertorie et leur accorde même une note d'appréciation.

Sur Internet, des portails comme Gotcha et Noma proposent une rubrique *Bed and breakfast,* alors que le site d'Hébergement Québec classe ses gîtes selon les régions (Hébergement Québec publie aussi un guide offert gratuitement dans les bureaux de Tourisme Québec). De son côté, le site anglophone Bed and Breakfast Online présente des adresses de gîtes canadiens dans chaque province. Tourisme Montréal et La Page Montréal donnent une centaine de liens vers les sites de gîtes montréalais. Pour ceux qui partent à l'étranger, le site International Bed and Breakfast Pages constitue un outil précieux pour vous guider dans votre sélection.

D'autres solutions sont également économiques. Si vous voyagez durant l'été, vous pouvez dormir dans une résidence située sur un campus universitaire. Durant cette période de l'année, il arrive que les chambres délaissées par les étudiants soient louées aux touristes. Et vous pourrez facilement y trouver une chambre pour un prix allant de 15 $ à 20 $.

Loger dans une auberge de jeunesse est aussi une solution économique. Dans le monde, il existe 4500 auberges de jeunesse membres de Hostelling International. C'est là une garantie de qualité, car ces auberges doivent respecter certaines normes d'hygiène et de sécurité. Notez que la plupart des auberges de jeunesse sont équipées de cuisines où chacun peut faire sa popote. Au Canada, loger dans une auberge de jeunesse coûte entre 15 $ et 20 $ pour les membres de Hostelling International, de 2 $ à 5 $ de plus pour les non-membres. Pour information, communiquez avec Hostelling International au (514) 252-3117.

Enfin, lorsque l'on se trouve dans une ville importante, on peut aussi loger dans un YMCA ou un YWCA. Les premiers sont toujours mixtes, les seconds parfois réservés aux femmes. L'un et l'autre offrent un hébergement sécuritaire et économique. Les prix varient entre 15 $ et 50 $ selon l'emplacement et le type d'hébergement choisi. Pour information, consultez les sites ywcacanada.ca ou worldywca.org.

Diviser la facture de location du chalet

Pour plusieurs, les vacances se passent au chalet. Trop cher pour vous ? Alors, fractionnez-en le coût en partageant les périodes d'occupation et les frais de location avec des amis. Bien entendu, le prix est proportionnel à vos besoins. L'emplacement, la capacité d'hébergement, le confort, les appareils électroménagers fournis, le moment de l'année constituent autant de facteurs qui entreront en ligne de compte dans le coût de la location.

Si la période de location dépasse six mois, il serait sage de vous doter d'une assurance afin de couvrir vos biens personnels, car votre assureur pourrait considérer qu'il s'agit d'une résidence secondaire. Toutefois, cette politique n'est pas la même dans toutes les compagnies d'assurances.

Assurance-voyage : indispensable

Dès que vous sortez du pays pour des vacances, il est essentiel de vous munir d'une assurance-voyage. Pourquoi ? Parce que la Régie de l'assurance-maladie du Québec offre une protection très limitée aux personnes qui se trouvent en voyage à l'extérieur. Une assurance-voyage vous offrira plus de protection dans les différents aspects de votre déplacement. Par exemple, elle vous permettra de profiter d'un service d'assistance en cas d'urgence. Elle vous donnera aussi la possibilité soit de revenir vous faire soigner au pays en cas de maladie, soit de vous faire soigner là où vous vous trouverez, puisqu'elle comprendra généralement les frais de transport en ambulance et d'hospitalisation, les honoraires des médecins et des infirmières, les appareils médicaux, les médicaments et certains frais de subsistance.

Elle offre également une protection qui vous permet d'annuler ou d'écourter votre voyage. Cette clause s'avère particulièrement avantageuse si l'achat du voyage a nécessité un investissement majeur. Cette protection doit cependant être achetée à l'intérieur d'un certain délai suivant l'achat du voyage. Votre assurance protégera aussi vos bagages au moment où ils ne seront plus sous la responsabilité du transporteur.

Un conseil donc : avant de partir en voyage, vérifiez si vous avez ou non une assurance-voyage par le biais de votre assurance collective et informez-vous de la couverture dont vous bénéficiez. Si vous n'avez pas d'assurance-voyage, ou si la couverture de la vôtre vous semble insuffisante, n'hésitez pas à en acheter une. En cas de pépin, cela pourrait vous faire épargner bien des sous.

Partie VI

Le calendrier des soldes

Vous voulez vous procurer un ensemble laveuse-sécheuse, un ordinateur ou encore une automobile. Saviez-vous que, peu importe le produit que vous cherchez, il y a un moment dans l'année où vous aurez plus de chances de le trouver à bon prix? Voici quelques indications qui vous permettront de magasiner au moment propice. Et, ainsi, d'économiser gros.

Accessoires et articles de maison

Draps, serviettes, rideaux, vaisselle sont soldés durant les fameuses «ventes de blanc» qui ont généralement lieu de janvier à juillet. Durant la même période, on trouve des rabais avantageux sur les tapis, carreaux, papiers peints et tapisseries.

Appareils électroniques

Pour l'achat de téléviseurs, magnétoscopes ou lecteurs de disques compacts, il est difficile de passer à côté des soldes exceptionnels de Noël (à surveiller dès novembre) et du fameux Boxing Day, qui va du 26 décembre aux premiers jours de janvier. À ne pas manquer! Pour les liquidations de fins de série, surveillez les mois de janvier, février, août et septembre. Les prix sont abordables, notamment ceux des articles en démonstration. Par ailleurs, différents événements, comme la fête des Mères en mai et celle des Pères en juin, peuvent être prétexte à des rabais additionnels.

Appareils photo et caméras vidéo

Les mois d'avril et de mai sont ceux pendant lesquels le choix est le plus grand. Durant cette période, on obtient souvent des primes pouvant revêtir différentes formes (un étui ou un sac, par exemple). Pour les soldes, visez plutôt Noël. C'est à ce moment qu'on offre les meilleures aubaines. Le développement de films et les agrandissements, quant à eux, sont en promotion permanente.

Articles de sport

En règle générale, c'est surtout en fin de saison que les prix baissent. Dans certains cas, on peut alors obtenir de 30 % à 50 % de rabais. Malheureusement, solde et choix ne coïncident pas toujours. Ainsi, dès septembre, le prix des vélos et des patins à roulettes chute, mais il y a moins de choix qu'en mai. Dans d'autres cas, c'est différent. Prenons l'équipement de ski : c'est souvent en début de saison, soit en novembre, que l'on trouve les plus gros rabais. De même, vous aurez des rabais sur les équipements de baseball et de golf en avril. Quant à l'équipement de hockey, il est en promotion dès le mois d'août, mais les prix fondent littéralement à la fin de la saison.

Automobile

Auparavant, c'était entre novembre et février que l'on trouvait les meilleures aubaines. La raison ? Les concessionnaires recevaient leurs nouveaux modèles à l'automne et offraient des rabais importants sur les modèles de l'année en cours. Aujourd'hui, d'autres variables entrent en ligne de compte, notamment la popularité de la voiture, sa réputation et la disponibilité du modèle. On remarque toutefois que les mois de mars, avril et mai réservent depuis quelques années des surprises. Par ailleurs, il vaut toujours mieux privilégier les fins de mois pour ce type d'achat. Cela vaut aussi pour les autres véhicules motorisés.

Entretien ménager

Vous voulez faire nettoyer vos murs? Les entreprises spécialisées offrent généralement des rabais entre janvier et juillet.

Fournitures scolaires

La meilleure période pour faire de bonnes affaires s'échelonne de la mi-août à la fin d'octobre. La rentrée scolaire est en effet l'occasion de rabais substantiels. La période de Noël et du Boxing Day sont aussi à considérer.

Meubles et électroménagers

Le début de l'année, soit janvier, février et mars, est tout indiqué pour se procurer à bon prix meubles et électroménagers. Chez les commerçants, c'est la période d'inventaire et le moment choisi pour solder certains modèles moins populaires ou commandés en trop grande quantité. Les réductions accordées sont parfois impressionnantes.

Autre période favorable: les mois de mai, juin et juillet. Pour profiter de la vague des déménagements, les détaillants baissent le prix des modèles sortis au début du printemps. Les rabais sont moins importants que ceux du début de l'année, mais le choix est plus grand.

Motocyclettes

L'arrivée des nouveaux modèles japonais en février marque le début de la saison pour les motocyclistes, alors que les modèles américains sont lancés en août. Des soldes soulignent parfois cette entrée sur le marché. Si certains magasins ferment leurs portes à la fin de la grosse saison, soit après décembre, il y a des chances de trouver des rabais intéressants chez ceux qui restent ouverts.

Piscine

Pour les soldes, il faut attendre juin ou juillet. Mieux encore : le début de l'automne. À cette période, il est encore possible de réserver sa piscine pour l'été suivant. Les accessoires sont aussi soldés à ce moment de l'année.

Système de chauffage d'appoint

C'est à la fin de l'hiver que vous aurez les meilleurs prix sur les foyers et poêles à combustion lente. Mais ils varient quand même peu et les économies sont relativement modestes.

Vêtements et accessoires

La règle est simple : privilégier les fins de saison. Les vêtements d'été sont soldés à partir du mois d'août (même avant), ceux d'automne en décembre, et ainsi de suite. Par ailleurs, les prix des tailleurs et des complets sont souvent réduits en septembre. Enfin, la rentrée scolaire et les vacances de Pâques donnent aussi lieu à des rabais supplémentaires sur les vêtements pour enfants et adolescents.

Partie VII

Adresses utiles

Répertoire des associations de consommateurs du Québec et des organismes gouvernementaux

Au Québec, il existe plus d'une quarantaine d'associations de consommateurs. La plupart offrent des consultations budgétaires et de l'information en matière de consommation. D'autres sont spécialisées dans différents domaines. En voici la liste.

Associations de consommateurs non spécialisées

Option consommateurs:

2120, rue Sherbrooke Est, bureau 604
Montréal (Québec) H2K 1C3
Téléphone: (514) 598-7288
Télécopieur: (514) 598-8511

ACEF du Nord de Montréal

7500, rue Châteaubriand
Montréal (Québec) H2R 2M1
Téléphone: (514) 277-7959
Télécopieur: (514) 277-7730

ACEF de l'Est de Montréal

5955, rue de Marseille
Montréal (Québec) H1N 1K6
Téléphone: (514) 257-6622
Télécopieur: (514) 257-7998

ACEF du Sud-Ouest de Montréal

6734, boul. Monk
Montréal (Québec) H4E 3J1
Téléphone : (514) 362-1771
Télécopieur : (514) 362-0660

ACEF Rive-Sud

18, rue Montcalm
Longueuil (Québec) J4J 2K6
Téléphone : (450) 677-6394
Télécopieur : (450) 677-0101

ACEF de Lanaudière

200, rue Salaberry, bureau 124
Joliette (Québec) J6E 4G1
Téléphone : (450) 756-1333
Télécopieur : (450) 759-8749

ACEF de la Mauricie

274, rue Bureau
Trois-Rivières (Québec) G9A 2M7
Téléphone : (819) 378-7888
Télécopieur : (819) 376-6351

ACEF de Québec

570, rue du Roi
Québec (Québec) G4W 2E3
Téléphone : (418) 522-1568
Télécopieur : (418) 522-7023

ACEF Rive sud de Québec

33, rue Carrier
Lévis (Québec) G6V 5N5
Téléphone : (418) 835-6633
Télécopieur : (418) 835-5818

ACEF de l'Île-Jésus

111, boul. des Laurentides, bureau 101
Laval (Québec) H7G 2T2
Téléphone: (450) 662-9428
Télécopieur: (450) 662-2647

ACEF du Grand Portage

553, rue Lafontaine
Rivière-du-Loup (Québec) G5R 3C5
Téléphone: (418) 867-8545
Télécopieur: (418) 862-6096

ACEF de l'Abitibi-Témiscamingue

34, rue Gamble Est, bureau 202
Rouyn-Noranda (Québec) J9X 3B7
Téléphone: (819) 764-3302
Télécopieur: (819) 762-0543

ACEF Amiante-Beauce-Etchemin

37, rue Notre-Dame Sud
Thetford-Mines (Québec) G6G 1J1
Téléphone: (418) 338-4755
Télécopieur: (418) 335-0830

ACEF de la péninsule

158, rue Soucy, bureau 211
Matane (Québec) G4W 2E3
Téléphone: (418) 562-7645
Télécopieur: (418) 562-7645

ACEF de l'Outaouais

109, rue Wright
Hull (Québec) J8X 2G7
Téléphone: (819) 770-4911
Télécopieur: (819) 771-7645

ACEF des Basses-Laurentides

42-B, rue Turgeon
Sainte-Thérèse (Québec) J7E 3H4
Téléphone : (819) 430-2228
Télécopieur : (819) 435-7184

ACEF des Bois-Francs

59, rue Monfette, bureau 230
Victoriaville (Québec) G6P 1J8
Téléphone : (819) 752-5855
Télécopieur : (819) 752-8270

ACEF du Haut Saint-Laurent

28, rue Saint-Paul, bureau 111
Valleyfield (Québec) J6S 4A8
Téléphone : (450) 371-3470
Télécopieur : (450) 371-3425

ACEF Rimouski-Neigette et Mitis

124, rue Ste-Marie, bureau 202, C.P. 504
Rimouski (Québec) G5L 7C5
Téléphone : (418) 723-0744
Télécopieur : (418) 723-7972

ACEF de Granby

500, rue Guy
Granby (Québec) J2G 7J8
Téléphone : (450) 375-1443
Télécopieur : (450) 372-1269

ACEF de l'Estrie

187, rue Laurier, bureau 202
Sherbrooke (Québec) J1H 4Z4
Téléphone : (819) 563-8144
Télécopieur : (819) 563-8235

Action Réseau Consommateurs

1215, rue de la Visitation, bureau 103
Montréal (Québec) H2L 3B5
Téléphone : (514) 521-6820
Télécopieur : (514) 521-0736

Service d'aide de Shawinigan

453, 5e Rue, bureau 1
Shawinigan (Québec) G9N 1E4
Téléphone : (819) 537-1414
Télécopieur : (819) 537-5259

Cric de Port-Cartier

3, rue des Pins, C.P. 204
Port-Cartier (Québec) G5B 2A
Téléphone : (418) 766-3203
Télécopieur : (418) 766-3312

GRAPE de Québec

1596, 3e Avenue, 2e étage
Québec (Québec) G1L 2Y5
Téléphone : (418) 522-7356
Télécopieur : (418) 522-0845

APIC

864, rue Puyjalon
Baie-Comeau (Québec) G5C 1N2
Téléphone : (418) 589-7324
Télécopieur : (418) 580-7088

Service budgétaire et communautaire de Chicoutimi

2422, rue Roussel
Chicoutimi-Nord (Québec) G7G 1X6
Téléphone : (418) 549-7597
Télécopieur : (418) 549-1325

Centre populaire de Roberval

106, rue Marcoux
Roberval (Québec) G8H 1E7
Téléphone : (418) 275-4222
Télécopieur : (418) 275-0099

Service budgétaire populaire de l'Estrie

6, rue Wellington Sud, bureau 302
Sherbrooke (Québec) J1H 5C7
Téléphone : (819) 563-0535
Télécopieur : (819) 563-0535

Carrefour d'entraide Drummond

405, rue des Écoles
Drummondville (Québec) J2B 1J3
Téléphone : (819) 477-8105
Télécopieur : (819) 477-7012

Service budgétaire et communautaire Jonquière

3971, rue du Vieux Pont, C.P. 42
Jonquière (Québec) G7X 7V8
Téléphone : (418) 542-8904
Télécopieur : (418) 542-1424

Service budgétaire et populaire d'Asbestos

312, boul. Morin
Asbestos (Québec) J1T 3B9
Téléphone : (819) 879-4173
Télécopieur : (819) 879-6949

Service budgétaire et communautaire d'Alma

415, rue Collard Ouest, C.P. 594
Alma (Québec) G8B 5W1
Téléphone : (418) 688-2148
Télécopieur : (418) 688-2048

Service bugétaire populaire Dynamique

1230, boul. Wallberg, bureau 304
Dolbeau (Québec) G8L 1H2
Téléphone: (418) 276-1211
Télécopieur: (418) 276-6617

Service budgétaire populaire de Saint-Félicien

1211, rue Notre-Dame
Saint-Félicien (Québec) G8K 1Z9
Téléphone: (418) 679-4646
Télécopieur: (418) 679-5902

CIRCCO

3-3, rue Clarence-Gagnon
Baie-Saint-Paul (Québec) G3Z 1K5
Téléphone: (418) 435-2884

Associations de consommateurs spécialisées

En automobile:

APA

292, boul. Saint-Joseph Ouest
Montréal (Québec) H2V 2N7
Téléphone: (514) 272-5555
Télécopieur: (514) 273-0797

CAA-Québec

444, rue Bouvier
Québec (Québec) G2J 1E3
Téléphone: (514) 861-1313
Ailleurs au Québec 1-800-222-4357
Site Internet: caaquebec.com

En habitation :

ACQC (Association des consommateurs pour la qualité dans la construction)

2226, boul. Henri-Bourassa, bureau 100
Montréal (Québec) H2B 1T3
Téléphone : (514) 384-2013
Télécopieur : (514) 384-8911

CAA-Habitation

444, rue Bouvier
Québec (Québec) G2J 1E3
Téléphone : (514) 861-1313
Ailleurs au Québec 1 800 222-4357
Site Internet : caaquebec.com

En alimentation :

Carrefour d'éducation populaire de Pointe Saint-Charles

2356, rue Centre
Pointe Saint-Charles (Québec) H3K 1J7
Téléphone : (514) 596-4444
Site internet : communautique.qc.ca/carrefour

Organismes gouvernementaux

Quelques organismes gouvernementaux offrent des services en matière de consommation. Voici quelques coordonnées qui peuvent vous être utiles.

Agence de l'efficacité énergétique :
1 877 727-6655 ;
aee.gouv.qc.ca

Hydro-Québec :
1 800 Énergie ;
hydro-quebec.com

Industrie Canada, Bureau de la consommation :
(613) 952-6927 ;
strategis.ic.gc.ca

Office de la protection des consommateurs (OPC) :
(514) 873-3701 ;
opc.gouv.qc.ca

Ressources naturelles Canada -
Office de l'efficacité énergétique :
1 800 387-2000 ;
oee.rncan.gc.ca

Santé Canada, Bureau de la sécurité des produits :
1 800 561-3350 ;
hc-sc.qc.ca

Deux portails particulièrement intéressants en matière de consommation

Voici les adresses de deux portails Internet qui vous permettront d'avoir accès à une foule d'informations particulièrement intéressantes en matière de consommation.

La première est l'adresse d'un portail mis sur pied par le gouvernement fédéral:
InfoConsommation.ca

La seconde est l'adresse d'un portail mis sur pied par le Réseau de protection du consommateur:
consommateur.qc.ca

Bibliographie

Certains sujets vous intéressent tout spécialement et vous aimeriez en savoir davantage? Voici quelques volumes qui vous aideront en ce sens:

BRASSARD, Éric, *Un chez-moi à mon coût*, Socle/ Éric Brassard, 2000, 268 pages.

PARADIS, France, *Le petit paradis*, Montréal, Les Éditions de l'Homme, 1995, 200 pages.

PHILIPPS, Sandra, *Le consommateur averti*, 1999, 212 pages.

ROBITAILLE, Louise, *Les p'tits trucs de Louise*, Montréal, Éditions Trustar, 1997, 228 pages.

WAYSER, Claudine, *Tout détacher*, Monaco, Éditions du Rocher, 1996, 93 pages.